Plano de Aula

40 semanas

3º ano

LÍNGUA PORTUGUESA

2ª EDIÇÃO

Kelly Cláudia Gonçalves

Plano de Aula
40 semanas

3º ano

LÍNGUA PORTUGUESA

2ª EDIÇÃO

EXPEDIENTE

Presidente e Editor Italo Amadio *(in memoriam)*
Diretora Editorial Katia F. Amadio
Editor Eduardo Starke
Revisão Roseli Simões
Valquíria Matiolli
Projeto Gráfico Reverson R. Diniz
Diagramação HiDesign Estúdio
Ilustrações R2 Estúdio

Dados Internacionais de Catalogação na Publicação (CIP)
Angélica Ilacqua CRB-8/7057

Gonçalves, Kelly Cláudia
    Plano de aula : 40 semanas : 3º ano : ensino fundamental - anos iniciais / Kelly Cláudia Gonçalves ; ilustrações de R2 Estúdio. -- 2. ed. -- São Paulo : Rideel, 2019.
    6 v. : il.

ISBN: 978-85-339-5801-2 (Plano de aula 3º ano - Português)
ISBN: 978-85-339-5802-9 (Plano de aula 3º ano - Matemática)
ISBN: 978-85-339-5803-6 (Plano de aula 3º ano - Ciências)
ISBN: 978-85-339-5804-3 (Plano de aula 3º ano - História)
ISBN: 978-85-339-5805-0 (Plano de aula 3º ano - Geografia)
ISBN: 978-85-339-5806-7 (Plano de aula 3º ano - Livro do professor)
ISBN: 978-85-339-5800-5 (Obra completa)

1. Educação infantil 2. Alfabetização I. Título II. R2 Estúdio

19-2403   CDD 372

Índices para catálogo sistemático:

1. Educação infantil

© 2023 - Todos os direitos reservados à

Av. Casa Verde, 455 – Casa Verde
CEP 02519-000 – São Paulo – SP
e-mail: sac@rideel.com.br
www.editorarideel.com.br

Proibida a reprodução total ou parcial desta obra, por qualquer meio ou processo, especialmente gráfico, fotográfico, fonográfico, videográfico, internet. Essas proibições aplicam-se também às características de editoração da obra. A violação dos direitos autorais é punível como crime (art. 184 e parágrafos, do Código Penal), com pena de prisão e multa, conjuntamente com busca e apreensão e indenizações diversas (artigos 102, 103, parágrafo único, 104, 105, 106 e 107, incisos I, II e III, da Lei nº 9.610, de 19-2-1998, Lei dos Direitos Autorais).

Apresentação

A proposta apresentada na Coleção Plano de Aula está de acordo com a proposta da Base Nacional Comum Curricular (BNCC) Ensino Fundamental – Anos Iniciais. Ela apresenta uma progressão das múltiplas aprendizagens, articulando o trabalho com as experiências anteriores e valorizando as situações lúdicas de aprendizagem.

Tal articulação precisa prever tanto a progressiva sistematização dessas experiências quanto o desenvolvimento, pelos alunos, de novas formas de relação com o mundo, novas possibilidades de ler e formular hipóteses sobre os fenômenos, de testá-las, de refutá-las, de elaborar conclusões, em uma atitude ativa na construção de conhecimentos.

A proposta da Coleção é compreender as mudanças no processo do desenvolvimento da criança – como a maior autonomia nos movimentos e a afirmação de sua identidade.

As atividades propostas propõem o estímulo ao pensamento lógico, criativo e crítico, bem como sua capacidade de perguntar, argumentar, interagir e ampliar sua compreensão do mundo.

A progressão do conhecimento ocorre pela consolidação das aprendizagens anteriores e pela ampliação das práticas de linguagem e da experiência estética e intercultural das crianças, considerando tanto seus interesses e suas expectativas quanto o que ainda precisam aprender.

A Coleção assegura, ainda, um percurso contínuo de aprendizagem e uma maior integração entre as duas etapas do Ensino Fundamental, e traz cinco volumes: Língua Portuguesa, Matemática, Ciências da Natureza e Ciências Humanas (História e Geografia).

Com o intuito de garantir o desenvolvimento das competências específicas de área, cada componente curricular possui um conjunto de habilidades que estão relacionadas aos objetos de conhecimento (conteúdos, conceitos e processos) e que se organizam em unidades temáticas.

Entre os componentes curriculares presentes na BNCC, apenas Língua Portuguesa – da área de linguagens – não está estruturada em unidades temáticas. Ou seja, ela se organiza em práticas de linguagem (leitura/escuta, produção de textos, oralidade e análise linguística/semiótica), campos de atuação, objetos de conhecimento e habilidades.

Kelly Cláudia Gonçalves

Sobre a autora

Kelly Cláudia Gonçalves é pedagoga e psicopedagoga. Possui especialização em Alfabetização e Letramento. É diretora de escola privada e autora de diversas coleções pedagógicas, como *Aprendendo com Videoaulas*, *Atividades para Projetos*, *Alfabetizando no 2º Período*, *Cantando & Aprendendo*, *Cantando e Aprendendo com a Galinha Pintadinha*, *Cantando e Aprendendo com Datas Comemorativas*, *Oficina de Reforço Escolar*, *Oficina para Casa – Educação Infantil e Ensino Fundamental I*.

Sumário

1ª e 2ª semanas – O alfabeto..9

3ª e 4ª semanas – Ordem alfabética...15

5ª semana – Encontros vocálicos..22

6ª semana – Palavras com c e ç...28

7ª semana – Palavras com qu..32

8ª semana – Encontro consonantal...36

9ª semana – Hiato..41

10ª semana – Emprego do til..46

11ª semana – Sílaba tônica...50

12ª semana – Sinais de pontuação...55

13ª semana – Pontuando textos..58

14ª semana – Sinônimo e antônimo..66

15ª semana – Tipos de frases...72

16ª semana – Palavras com gu...76

17ª semana – Palavras com ge, gi, je e ji...80

18ª semana – Substantivos comuns e próprios..85

19ª semana – Palavras com r e rr...91

20ª semana – Artigos..96

21ª semana – Palavras com ss...102

22ª semana – Substantivo coletivo...108

23ª semana – Gênero do substantivo...116

24ª semana – Número do substantivo..125

25ª semana – Grau do substantivo 138

26ª semana – Ainda sobre grau do substantivo 143

27ª semana – Substantivo primitivo e derivado 152

28ª semana – Páragrafo 159

29ª semana – Adjetivos 165

30ª semana – Substantivos concreto e abstrato 174

31ª semana – Adjetivos pátrios 183

32ª semana – Grau do adjetivo 190

33ª semana – Ainda sobre o grau do adjetivo 197

34ª semana – Pronome pessoal do caso reto 202

35ª semana – Pronome possessivo 210

36ª semana – Pronomes de tratamento 217

37ª semana – Tempo presente 223

38ª semana – Pretérito ou passado 233

39ª semana – Futuro 239

40ª semana – Verbos no modo indicativo 244

NOME: _____

DATA: ___/___/_____

O ALFABETO

As letras são sinais gráficos que facilitam a nossa comunicação. Na língua portuguesa, temos 26 letras:

A	B	C	D	E	F	G	H	I
a	b	c	d	e	f	g	h	i
J	K	L	M	N	O	P	Q	R
j	k	l	m	n	o	p	q	r
S	T	U	V	W	X	Y	Z	
s	t	u	v	w	x	y	z	

Essas 26 letras são chamadas de alfabeto.

3º ano – Língua Portuguesa

1ª e 2ª SEMANAS

NOME: _____

DATA: ___/___/_____

ALFABETO CURSIVO MAIÚSCULO

A B C D E F G
H I J K L M N
O P Q R S T U
V W X Y Z

ALFABETO CURSIVO MINÚSCULO

a b c d e f g
h i j k l m n
o p q r s t u
v w x y z

3º ano – LÍNGUA PORTUGUESA

NOME: _____

DATA: ____/____/_____

1ª e 2ª SEMANAS

1. Vamos brincar?

   A) Atenção, concentração, ritmo!

   Vai haver revolução, se você não escrever palavras com...

   A: _____, _____, _____

   D: _____, _____, _____

   F: _____, _____, _____

   J: _____, _____, _____

   L: _____, _____, _____

   P: _____, _____, _____

   R: _____, _____, _____

   V: _____, _____, _____

   X: _____, _____, _____

   B) Agora, escreva quatro palavras de cada letra em ordem alfabética.

   A: _____

   D: _____

   F: _____

   J: _____

   L: _____

   P: _____

   R: _____

   V: _____

   X: _____

3º ano – Língua Portuguesa

NOME: _____

1ª e 2ª SEMANAS

DATA: ____/____/_____

2. Organize o alfabeto na ordem correta:

M U K C R T I B J F Q E Y Z P S O D G N A X V W H L

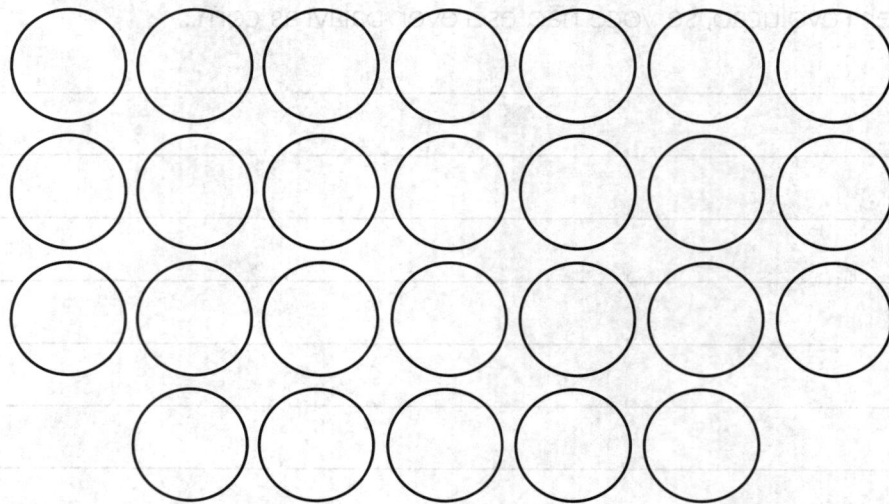

3. Escreva palavras que tenham:

A) Duas vogais e duas consoantes.
_____

B) Três vogais e uma consoante.
_____

C) Três vogais e três consoantes.
_____

D) Três vogais e duas consoantes.
_____

E) Três vogais e quatro consoantes.
_____

3º ano — Língua Portuguesa

NOME: _____

DATA: ____/____/_____

4. Forme o máximo de palavras que conseguir com as letras:

| F | O | L | G | M | T | P |
| R | U | A | E | H | I | D | S |

5. Escreva o nome dos seus oito melhores amigos de sala em ordem alfabética.

3º ano – LÍNGUA PORTUGUESA

NOME: _____

DATA: ____/____/_____

6. Substitua os desenhos por substantivos próprios (de sua preferência) ou comuns e reescreva as frases no caderno.

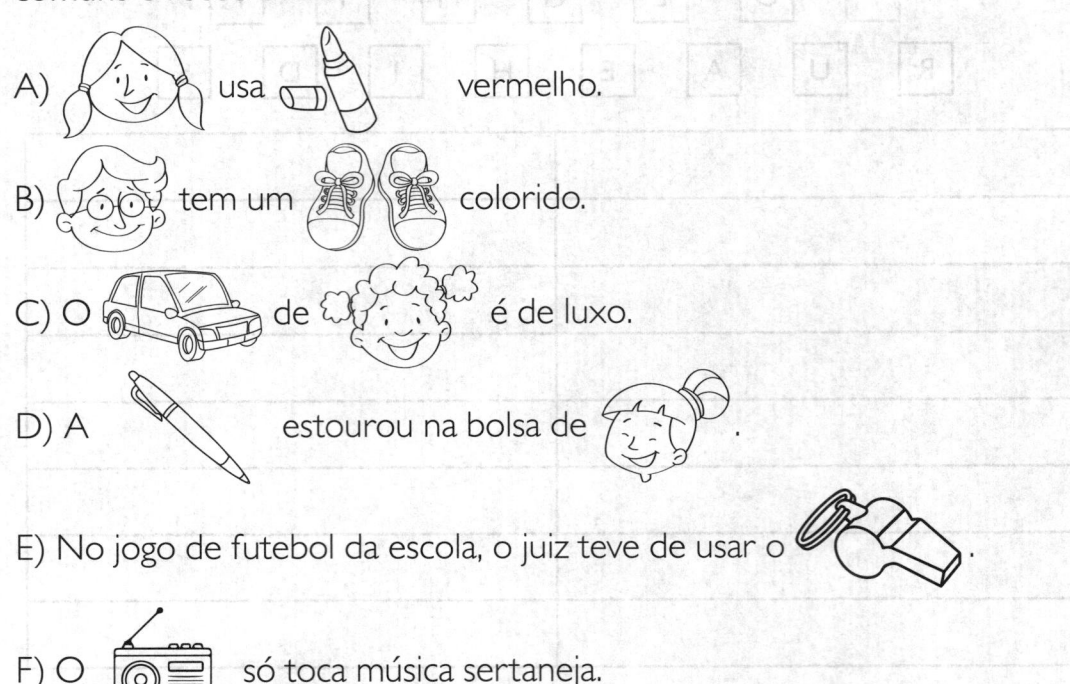

A) [menina] usa [batom] vermelho.

B) [menino] tem um [tênis] colorido.

C) O [carro] de [moça] é de luxo.

D) A [caneta] estourou na bolsa de [menina].

E) No jogo de futebol da escola, o juiz teve de usar o [apito].

F) O [rádio] só toca música sertaneja.

7. Separe as palavras e forme frases.

A) Anotíciadeixoutodosabalados.

_____
_____
_____

B) Ocampeonatodaescolaaconteceránomêsdejunho.

_____
_____
_____

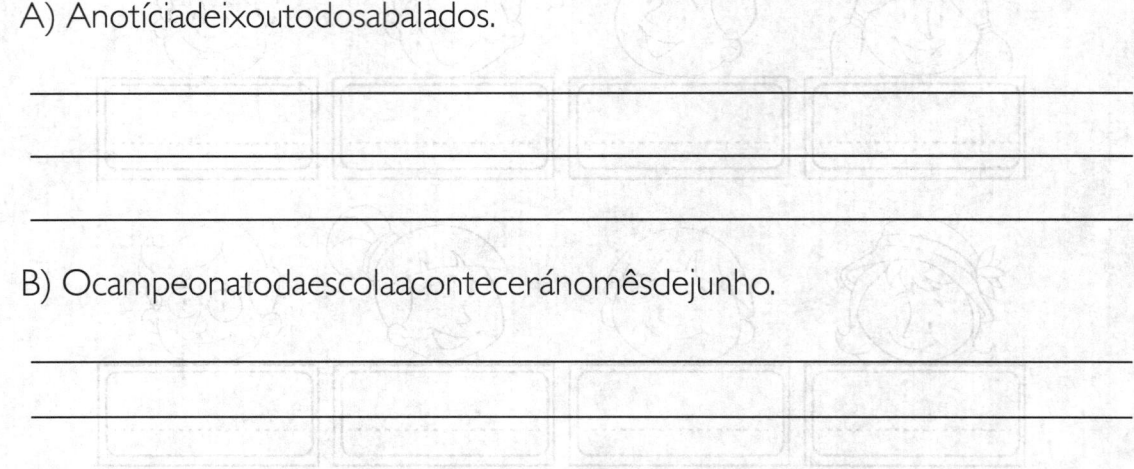

NOME: _____

DATA: ___/___/_____

3ª e 4ª SEMANAS

ORDEM ALFABÉTICA

1. Procure em jornais e revistas uma notícia do seu interesse.

    Leia a notícia com atenção e, em seguida, recorte-a e cole-a no retângulo:

    Agora, é sua vez! Crie uma notícia e escreva-a em uma folha de papel sulfite. Depois, recorte-a e cole-a a seguir:

NOME: _____

DATA: ____/____/_____

2. Escreva o nome de seus colegas de classe em ordem alfabética:

NOME: _____

DATA: ____/____/_____

3. Leia o nome das crianças:

Frederico   Amélia   João   Rodrigo   Bianca

Rafael   Gustavo   Giovana   Débora   Júnior

Camila   Fabiana   Fábio   Lara   Hugo   Rafaela

Beto   Esther   Jalfer   Melissa   Jorge

3º ano – LÍNGUA PORTUGUESA

NOME: _____

DATA: ____/____/_____

AGORA, FAÇA O QUE SE PEDE:

A) Escreva o nome das meninas em ordem alfabética.

B) Escreva o nome dos meninos em ordem alfabética.

C) Escreva o nome de todas as crianças em ordem alfabética.

NOME: _____

DATA: ____/____/_____

4. Desenhe ou cole imagens cujos nomes das figuras iniciem com a letra em destaque e escreva os nomes:

A	B	C
D	E	F
G	H	I

3º ano – LÍNGUA PORTUGUESA

NOME: _____

DATA: ____/____/_____

J	K	L
M	N	O
P	Q	R

20   3º ano — Língua Portuguesa

NOME: _____

DATA: ____/____/_____

3ª e 4ª SEMANAS

S	T	U
V	W	X
Y	Z	

3º ano – Língua Portuguesa

21

NOME: _____

DATA: ___/___/_____

ENCONTROS VOCÁLICOS

1. Complete sua biografia.

Tudo sobre mim...	Meu nome:
	Moro em:
Brincadeira que mais gosto:	Membros da minha família:
	Dia e mês do meu aniversário:
Cor favorita:	Filme preferido:
Comida favorita:	Música preferida:
Livro preferido:	Lugar que mais gosto de passear:

3º ano – Língua Portuguesa

ENCONTROS VOCÁLICOS

Podemos classificar os encontros vocálicos em três:

• Ditongo: chamamos de ditongo uma vogal e uma semivogal juntas em uma mesma sílaba.

Exemplo: LEITE   LEI TE

           MANTEIGA   MAN TEI GA

• Hiato: chamamos de hiato vogais que aparecem em sílabas separadas.

Exemplo: MEIA   MEI A

           RAIZ   RA IZ

• Tritongo: chamamos de tritongo uma semiogal, uma vogal e uma semivogal juntas.

Exemplo: PARAGUAI   PA RA GUAI

           IGUAIS   I GUAIS

NOME: _____

DATA: ___/___/_____

2. Observe as imagens e crie um diálogo com encontros vocálicos.

3º ano – Língua Portuguesa

NOME: _____

DATA: ___/___/_____

3. Cante com seus colegas a música da minhoca.

Minhoca

Minhoca, minhoca
Me dá uma beijoca.
Não dou, não dou, não dou.
Então eu vou roubar (smack)!

                    Minhoco, minhoco.
                    Cê tá ficando louco.
                    Você beijou errado.
                    A boca é do outro lado!

A) Circule, na música, todas as palavras com encontro vocálico.

B) Escreva as palavras que você circulou e separe-as em sílabas.

_____
_____
_____

3º ano — LÍNGUA PORTUGUESA   25

5ª SEMANA

NOME: _____

DATA: ____/____/_____

C) Como você classifica os encontros do exercício anterior?
_____
_____

D) Defina os encontros vocálicos que você classificou.
_____
_____

E) Isso aconteceu quando você separou as palavras em sílabas?
_____

F) Então, na atividade B, pinte a vogal e a semivogal de amarelo em cada palavra que separou.

4. Complete o quadro, conforme o modelo:

PALAVRA	SÍLABAS	DITONGO	TRITONGO	HIATO
NOIVA	NOI-VA	X		
JOELHO				
SAÚVA				
FALCÃO				
NOITE				
PARAGUAI				
POENTE				
OUVIDO				
VAIDADE				
FIADO				
AURORA				
URUGUAI				

NOME: _____

DATA: ____/____/_____

5ª SEMANA

5. Separe as sílabas das palavras e escreva (D) ditongo, (H) hiato ou (T) tritongo:

   (   ) Pia

   (   ) Páscoa

   (   ) Saguão

   (   ) Caixa

   (   ) Baú

   (   ) Paraguai

6. Escreva nos quadrinhos as vogais que representam os hiatos:

JUÍZO		
MOÍDA		
MOEDA		
COROA		
VIAGEM		
MAESTRO		
SAÚDE		
RUA		

3º ano — LÍNGUA PORTUGUESA

NOME: _____

DATA: ___/___/_____

PALAVRAS COM C E Ç

1. Leia com os colegas e professor(a):

Corre, cotia

Corre, cotia,
Na casa da tia.
Corre, cipó,
Na casa da avó.
Lencinho na mão,
Caiu no chão,
Moça bonita
Do meu coração.
Um, dois, três.

Domínio público

Observe:

CERCA   AÇÚCAR

Lembre-se:

- Antes das vogais **A**, **O** e **U**, usamos **Ç**.
- Antes das vogais **E** e **I**, usamos **C**.
- No início das palavras, sempre usamos **C**, nunca **Ç**.

3º ano — Língua Portuguesa

NOME: _____

DATA: ____/____/_____

6ª SEMANA

A) Circule de vermelho as palavras com **C** na música e de azul as palavras com **Ç**.

B) Complete o quadro:

PALAVRAS COM C	PALAVRAS COM Ç

C) Forme frases com as palavras com **Ç**.
_____

D) Copie e separe em sílabas as palavras com **C**.
_____
_____
_____
_____

E) Quais palavras do quadro apresentam ditongo?
_____

F) E quais palavras apresentam hiato?
_____

3º ano – LÍNGUA PORTUGUESA

NOME: _____

DATA: ____/____/_____

2. Recorte de jornais e revistas:

- Palavras com **C** inicial:

- Palavras com **CE** e **CI**:

- Palavras com **Ç**:

3º ano — Língua Portuguesa

NOME: _____

DATA: ____/____/_____

3. Complete as palavras com **C** ou **Ç**:

A) Ba_____ia
B) _____éu
C) Lou_____a
D) Ma_____io
E) _____igarra
F) _____ebola
G) _____érebro
H) Crian_____a
I) For_____a
J) A_____úcar
K) Fa_____a
L) _____inema

- O que você observou?

_____
_____

4. Forme palavras com as sílabas:

MO CO TA CA RO RA ÇU LOU

MA LA PO ÇA ÇO ÇÃO CA

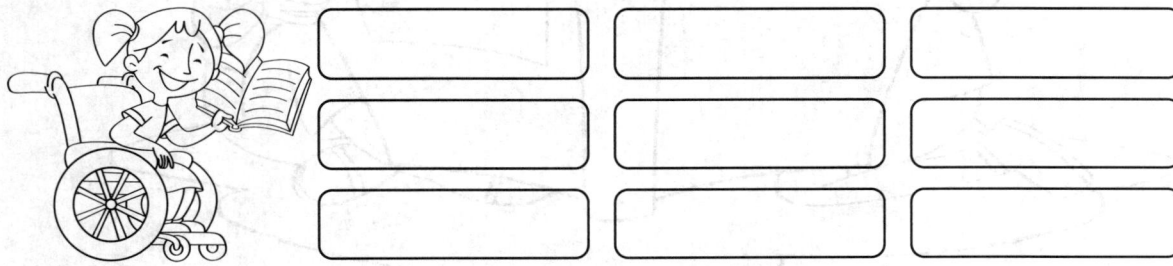

PALAVRAS COM QU

A letra **Q** sempre é acompanhada da vogal **U**, mas, algumas vezes, quando pronunciamos a palavra, o som do **U** não aparece.

Pronunciamos o **U** do **QU** quando a vogal seguinte é **A** ou **O**:

Exemplo: aquário, aquoso.

O **U** pode ou não ser pronunciado quando a vogal seguinte é **E** ou **I**:

Exemplo: tranquilo, quilo, cinquenta, queijo.

NOME: _____

DATA: _____/_____/_____

7ª SEMANA

1. Complete com **QUA, QUE** ou **QUI**:

_____be   _____lo   le_____

_____da   _____tanda   _____dra

_____abo   a_____rio   bas_____te

_____rido   pe_____no   _____ro

A) Agora, complete o quadro com as palavras da atividade anterior:

QUA	QUE	QUI

B) Escolha 4 palavras do quadro e forme frases.

_____
_____
_____
_____

3º ano – LÍNGUA PORTUGUESA   33

7ª SEMANA

NOME: _____

DATA: ___/___/_____

2. Leia as palavras e classifique-as nos quadros a seguir:

QUISER	QUIABO	QUERIDO	QUERO	QUENTE
LAQUÊ	BRINQUEDO	QUIBE	QUIETO	CAQUI
QUILO	QUANTO	QUEIJO	FAQUEIRO	QUEPE
AQUÁRIO	QUARTO	QUOTA	QUANDO	QUADRADO

Palavras que têm a pronúncia do **U**:

Palavras que não têm a pronúncia do **U**:

3. Agora, escreva mais duas palavras para cada grupo:

NOME: _____

DATA: ____/____/_____

7ª SEMANA

QUA _____
QUE _____
QUI _____
QUO _____

4. Forme uma frase para cada desenho.

A) frase exclamativa.
_____
_____

B) frase interrogativa.
_____
_____

C) frase afirmativa.
_____
_____

D) frase negativa.
_____
_____

3º ano – LÍNGUA PORTUGUESA

NOME: _____

DATA: ___/___/_____

ENCONTRO CONSONANTAL

Encontro consonantal é o encontro de duas ou mais consoantes em uma mesma sílaba ou em sílabas diferentes.

Ele pode ser:

• **Inseparável**: consoante seguida de **L** ou **R**. Exemplos: <u>bl</u>oco, <u>br</u>avo, <u>cr</u>avo, <u>fl</u>ocos.

• **Separável**: consoante seguida de consoante que não seja **L** ou **R**. Exemplos: a<u>bs</u>oluto, o<u>ftal</u>mologista, <u>pn</u>eu.

NOME: _____

DATA: ____/____/_____

8ª SEMANA

1. Forme frases com as palavras abaixo. Depois, circule de amarelo a palavra que apresenta o encontro.

3º ano – LÍNGUA PORTUGUESA

8ª SEMANA

NOME: _____

DATA: ____/____/_____

A) Agora, classifique as palavras no quadro em:

INSEPARÁVEIS	SÍLABAS

SEPARÁVEIS	SÍLABAS

2. Escreva a palavra e o encontro consonantal:

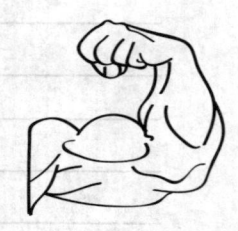

NOME: _____

DATA: ___/___/_____

8ª SEMANA

3. Recorte de jornais e revistas uma palavra com cada encontro consonantal em destaque e cole no quadrinho:

CR			
BR			
CL	DR		
FL	GR		
PR	PL	BL	
TL	VR	TR	GL	FR

Encontro consonantal é o encontro de duas ou mais consoantes juntas em uma mesma palavra. Veja:

3º ano — LÍNGUA PORTUGUESA

39

8ª SEMANA

NOME: _____

DATA: ____/____/_____

4. Encontre, no diagrama, palavras com encontros consonantais e pinte-as:

D	C	C	O	F	R	E	B	F	R	I	T	O	N	L
P	J	H	G	C	V	X	B	D	X	V	Z	C	D	H
M	A	D	R	I	N	H	A	P	Q	O	L	K	B	O
H	K	X	C	H	T	Q	K	P	L	N	H	J	M	Z
Y	F	D	H	B	R	O	C	H	U	R	A	B	H	X
E	S	C	R	I	T	A	K	T	W	F	R	A	C	O
B	R	E	Q	U	E	Z	P	C	X	V	I	D	R	O
V	B	N	H	J	M	K	E	Y	T	R	W	Q	S	D
F	R	I	O	X	S	Z	D	K	L	G	F	D	T	R
B	M	J	P	N	C	L	R	F	D	C	X	V	T	Y
W	P	X	F	P	R	B	E	Z	X	C	R	E	M	E
L	Ç	J	H	E	B	I	C	X	R	Z	W	D	M	
M	D	H	Y	R	D	Y	R	J	K	I	Ç	X	N	B
B	R	I	L	H	O	Q	O	Z	W	A	T	G	H	R
K	E	L	P	D	S	G	F	B	V	T	M	H	Y	U

A) Copie as palavras e circule de vermelho os encontros consonantais.

_____ _____ _____

_____ _____ _____

3º ano – LÍNGUA PORTUGUESA

NOME: _____

DATA: ____/____/_____

9ª SEMANA

HIATO

1. Joque o dado para definir qual a personagem principal da sua história. Jogue novamente e descubra onde ocorrerá a aventura. Finalmente, jogue o dados mais uma vez para saber qual situação sua personagem deverá enfrentar.

   Vamos criar uma história de acordo com o número que aparece no dado? Veja na tabela como deverá seguir a sua história.

JOGUE O DADO	PERSONAGENS	ONDE OCORRE?	SITUAÇÃO
⚀	UM MONSTRO DE DUAS CABEÇAS	EM UMA FLORESTA	TINHA UMA CAPA MÁGICA
⚁	UM DRAGÃO QUE NÃO LANÇA FOGO	EM UMA FAZENDA	VAI SER CAÇADO POR UM TOMATE
⚂	UMA PRINCESA VALENTE	EM UM DESERTO	EM UMA TARDE MUITO QUENTE
⚃	UM ROBÔ DESAJEITADO	EM UMA ILHA	PERDE-SE DE SEU AMIGO
⚄	UM LEÃO FEROZ	EM UM CASTELO MÁGICO	VAI COMER UMA CARNE ENVENENADA
⚅	EM UMA ESTRELA QUE VOA	EM UM BOSQUE ENCANTADO	VAI PERDER A MEMÓRIA

3º ano — LÍNGUA PORTUGUESA

9ª SEMANA

NOME: _____

DATA: ___/___/_____

NOME: _____

DATA: ____/____/_____

9ª SEMANA

> **Dígrafo** é um grupo de duas letras que representa um mesmo fonema.
>
> São dígrafos: **lh**, **nh**, **ch**, **rr**, **ss**, **qu** (seguidos de **e** ou **i**), **sc**, **sç**, **xc** e **xs**.
>
> Os encontros **gu** e **qu** não serão dígrafos se o **u** for pronunciado.
>
> Exemplos: tranquilo, consequência, pinguim, linguiça.
>
> Existem também os dígrafos vocálicos formados pelas vogais nasais: **am**, **em**, **en**, **im**, **in**, **om**, **on**, **um** e **un**.

2. O rr é um dígrafo. Retire um r de todas as palavras e forme outras palavras. Observe o fonema.

ERRA	
ENCERRA	
CORRO	
ARRANHA	
MORRO	
TORRA	
FERRA	
CARRETA	
MURRO	
CARRINHO	
CARRO	

3º ano — LÍNGUA PORTUGUESA

9ª SEMANA

NOME: _____

DATA: ___/___/_____

3. Recorte de jornais e revistas um exemplo de cada dígrafo e cole-os:

Dígrafos consonantais

DÍGRAFO	EXEMPLOS
CH	
LH	
NH	
RR (USADO UNICAMENTE ENTRE VOGAIS)	
SS (USADO UNICAMENTE ENTRE VOGAIS)	
SC	
SÇ	
XC	
GU	
QU	

Dígrafos vocálicos

DÍGRAFO	EXEMPLOS
AM/AN	
EM/EN	
IM/IN	
OM/ON	
UM/UN	

NOME: _____

DATA: ____/____/_____

9ª SEMANA

4. Complete o quadro:

PALAVRAS	SÍLABAS	DÍGRAFOS
ORELHUDO		
CANHOTO		
CHUVEIRO		
PASSARELA		
CORRIDA		
CHOCOLATE		
EXCETO		
PISCINA		
CAMPO		
RONCO		

5. Escreva 5 dígrafos na mesma sílaba e 5 em sílabas separadas:

NA MESMA SÍLABA	EM SÍLABAS SEPARADAS

3º ano — LÍNGUA PORTUGUESA

EMPREGO DO TIL

1. Leia o texto abaixo e responda o que se pede:

A sopa de pedras

Um **"rapas"** pobre e faminto andava pelo campo em busca de alimento. Teve uma ideia e **"rezolveu"** colocá-la em prática. Escolheu um local **"próssimo"** a uma casa com uma grande horta e alguns animais. Pediu aos donos da casa que lhe emprestassem uma panela.

Os donos não queriam emprestar, pois não gostavam de ajudar outras **"peçoas"**. Mas o rapaz tanto insistiu que conseguiu a panela. Ele então preparou o fogo e colocou água para ferver. Pegou algumas pedras, lavou-as bem e colocou dentro da água fervente.

Os donos da casa ficaram **"curiozos"** e perguntaram:

— O que você está cozinhando, rapaz?

— Uma **"delissiosa"** sopa de pedras – respondeu ele.

— Mas como é possível fazer uma sopa de pedras? – indagou o casal.

— Muito simples! – ele explicou. – Como veem, tenho aqui no fogo uma panela com água fervendo e pedras cozinhando. Sei fazer uma ótima sopa, mas, se vocês tiverem algo para **"engroçá–la..."** Como um pedaço de carne, batatas e feijões...

Os donos da casa lhe deram carne, batatas e feijões. O rapaz colocou tudo dentro da sopa e o cheiro começou a ficar bom. Ele então disse:

— Hum, se eu tivesse um pouco de **"tenpero"**, a sopa ficaria bem mais apetitosa.

E novamente os donos da casa lhe deram tempero. Ele foi cozinhando e mexendo até que a sopa ficou pronta e foi consumida pelos três. Assim que terminaram, o rapaz tirou as pedras da panela e jogou-as fora. Os donos da casa, espantados, disseram:

— Mas e as pedras?! Você não vai comer as pedras?!

— Comer as pedras?! – Repetiu o rapaz, e **"fujiu"** correndo.

Conto popular

NOME: _____

DATA: ___/___/_____

10ª SEMANA

A) Circule de azul, no conto, todas as palavras acentuadas, exceto as grifadas.

B) Agora, copie-as no quadro e separe as sílabas:

PALAVRA	SÍLABAS

C) Quais acentos foram utilizados nas palavras do quadro?
_____

2. Observe as palavras destacadas com aspas no texto, copie-as e faça as correções.

_____   _____   _____

_____   _____   _____

A) Quais palavras acima, após a correção, possuem ditongos?
_____

B) Quais palavras acima, após a correção, possuem ditongos?
_____

C) No item A, circule de vermelho os dígrafos.

D) No item B, circule de azul os ditongos.

3º ano – LÍNGUA PORTUGUESA

10ª SEMANA

NOME: _____

DATA: ____/____/_____

3. Reescreva o conto "A sopa de pedras", fazendo as correções das palavras:

_____
_____
_____
_____
_____
_____
_____
_____
_____
_____
_____
_____
_____
_____
_____
_____
_____
_____
_____
_____
_____
_____
_____
_____
_____

NOME: _____

DATA: ___/___/_____

10ª SEMANA

4. Encontre palavras com til no caça-palavras e depois copie-as conforme o desenho:

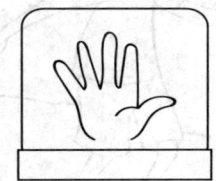

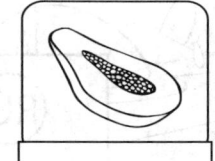

Ã	M	V	I	O	L	Ã	O	J
O	M	A	Ç	Ã	S	P	Ã	O
R	S	T	V	P	I	Ã	O	R
X	Z	S	A	B	Ã	O	S	V
F	O	G	Ã	O	B	X	Z	M
C	L	E	Ã	O	M	N	P	A
A	M	Ã	O	S	K	R	S	M
R	M	A	C	A	R	R	Ã	O
V	R	M	A	M	Ã	O	G	I
C	A	R	V	Ã	O	P	O	J
O	M	S	V	Ã	C	R	Ã	O

3º ano — LÍNGUA PORTUGUESA

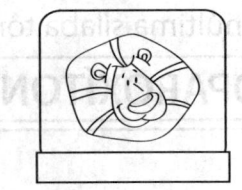

49

SÍLABA TÔNICA

As palavras são separadas em três grupos conforme a sílaba tônica.

- **Oxítona**: quando a sílaba tônica é a última da palavra. Exemplos: feliz, sensação, jiló.

- **Paroxítona**: quando a sílaba tônica é a penúltima da palavra. Exemplos: felicidade, panela, açúcar.

- **Proparoxítona**: quando a sílaba tônica é a antepenúltima da palavra. Exemplos: lâmpada, mágico, música.

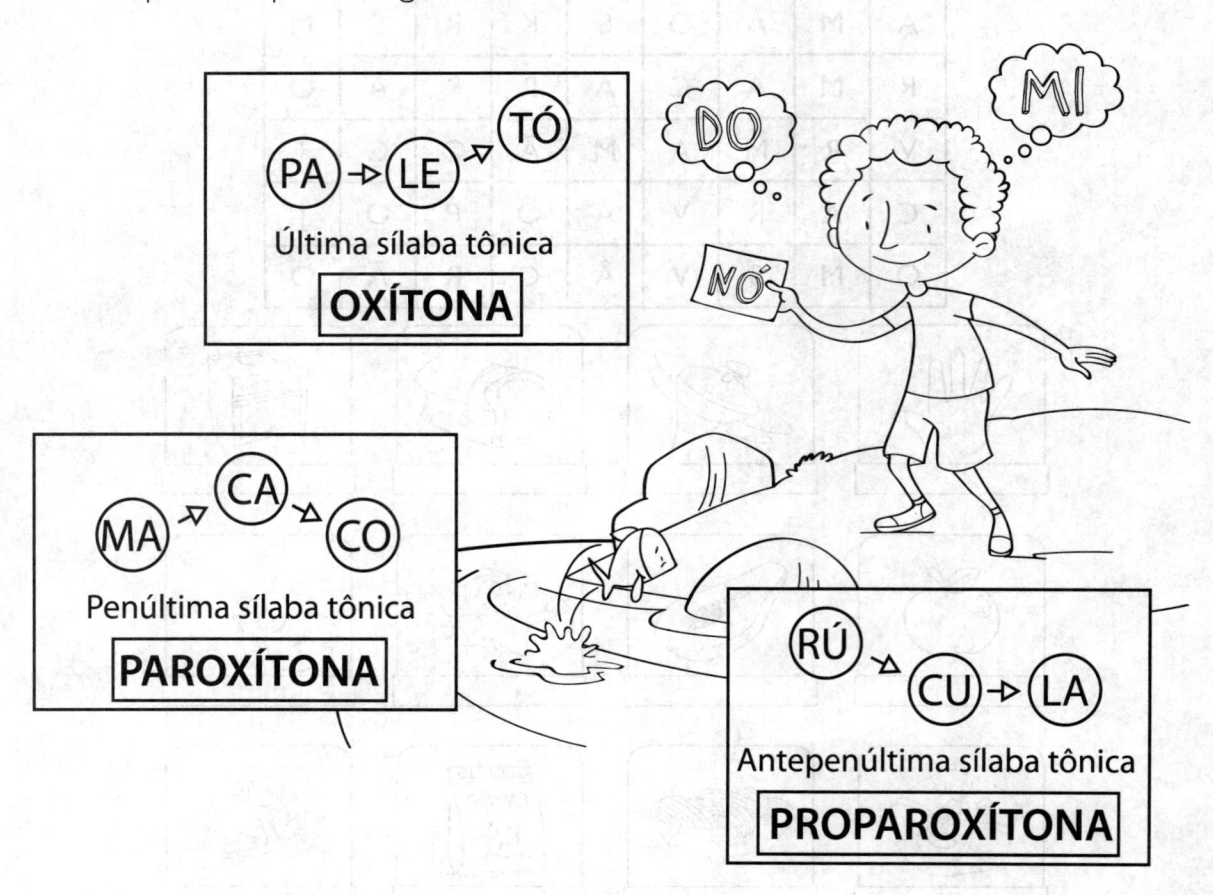

PA → LE → TÓ
Última sílaba tônica
OXÍTONA

MA → CA → CO
Penúltima sílaba tônica
PAROXÍTONA

RÚ → CU → LA
Antepenúltima sílaba tônica
PROPAROXÍTONA

3º ano — Língua Portuguesa

NOME: _____

DATA: ____/____/_____

11ª SEMANA

1. Leia o texto:

O hábito da leitura

O adulto conserva e amplia qualidades e defeitos que adquiriu na infância. Tudo que se torna um hábito dificilmente é deixado. A leitura pode ser prazerosa, um passatempo. Você pode descobrir muitas coisas, viajar por vários lugares, conhecer pessoas, adquirir muitas experiências. Tudo isso enquanto lê um livro, jornal, gibi, revista, cartazes de rua e até bula de remédio.

Pelo correio ou pela tela do computador, você conhece o mundo inteiro. Tem acesso a notícias, intimações, saudades, respostas, mas tudo isso só existe por causa do hábito da leitura. E aí, vamos participar de um projeto de leitura?

A) A que se refere o texto?
_____

B) Você tem esse hábito? Justifique sua resposta.
_____

C) O que mais gosta de ler?
_____

D) Tem algum livro que marcou sua vida? Qual? Justifique sua resposta.
_____
_____

E) Escreva outros hábitos que você tem?
_____
_____

F) Como adquiriu os hábitos citados?
_____
_____

11ª SEMANA

NOME: _____

DATA: ____/____/_____

2. Retire do texto todas as palavras acentuadas e complete o quadro:

PALAVRAS	OXÍTONA	PAROXÍTONA	PROPAROXÍTONA

3. Numere corretamente:

(1) Proparoxítona   (2) Paroxítona   (3) Oxítona

( ) Viver   ( ) Urubu   ( ) Antônimo

( ) Atrás   ( ) Espelhos   ( ) Pássaro

( ) Folgado   ( ) Óculos   ( ) Fazenda

3º ANO – LÍNGUA PORTUGUESA

NOME: _____

DATA: ___/___/_____

11ª SEMANA

4. Leia as palavras e pinte as sílabas conforme a legenda:

Oxítona: Vermelho   Proparoxítona: Verde   Paroxítona: Amarelo

| A | MEN | DO | IM |

| ÁR | VO | RE |

| MA | GRI | NHA |

| ES | TÔ | MA | GO |

| RO | DA | PÉ |

| RÁ | PI | DO |

| A | BÓ | BO | RA |

| CA | PI | TÃO |

| BI | SA | VÓ |

| MA | RA | CU | JÁ |

| GOS | TA | VA |

| ES | TRE | LA |

| PA | CÍ | FI | CO |

| A | BA | CA | XI |

| A | MA | RE | LO |

A) Complete o quadro:

OXÍTONA	PAROXÍTONA	PROPAROXÍTONA

3º ano – LÍNGUA PORTUGUESA

11ª SEMANA

NOME: _____

DATA: ____/____/_____

5. Escreva as palavras na coluna correspondente:

Lâmpada	Café	Caneca	Prato	Mesada
Refeição		Números	Mulheres	Dominó
Lampião	Pêssego	Matemática	Sofá	Estojo

PROPAROXÍTONA	PAROXÍTONA	OXÍTONA

A) Como você encontrou a sílaba tônica das palavras?

_____
_____
_____
_____
_____

3º ano — LÍNGUA PORTUGUESA

SINAIS DE PONTUAÇÃO

O galo que logrou a raposa

Um velho galo matreiro, percebendo a aproximação da raposa, empoleirou-se numa árvore. A raposa, desapontada, murmurou consigo: "...Deixa estar, seu malandro, que já te curo!..." E em voz alta:

— Amigo, venho contar uma grande novidade: acabou-se a guerra entre os animais. Lobo e cordeiro, gavião e pinto, onça e veado, raposa e galinha, todos os bichos andam agora aos beijos, como namorados. Desça desses poleiros e venha receber o meu abraço de paz e amor.

— Muito bem! – exclamou o galo. Não imagina como tal notícia me alegra! Que beleza vai ficar o mundo, limpo de guerras, crueldades e traições! Vou já descer para abraçar a amiga raposa, mas... como lá vem vindo três cachorros, acho bom esperá-los, para que eles também tomem parte da confraternização.

Ao ouvir falar em cachorros, dona raposa não quis saber de histórias, e tratou de pôr-se a fresco, dizendo:

— Infelizmente, amigos Có-ri-có-có, tenho pressa e não posso esperar pelos amigos cães. Fica para outra vez a festa, sim? Até logo.

E raspou-se.

Moral da história: "Contra esperteza, esperteza e meia".

Fábulas de Esopo.

11ª SEMANA

NOME: _____

DATA: ___/___/_____

1. Escreva o significado das palavras do texto:

Logrou	
Matreiro	
Empoleirou	
Desapontada	
Crueldade	
Raspou	

2. Substitua as palavras grifadas por outras do mesmo significado:

A) O galo **logrou** a raposa.
_____

B) O galo era muito **matreiro**.
_____

C) O galo **empoleirou-se** no galho da árvore.
_____

D) A raposa ficou **desapontada**.
_____

E) É muita **crueldade** da raposa!
_____

F) A raposa **raspou-se** da floresta.
_____

3º ano – LÍNGUA PORTUGUESA

NOME: _____

DATA: _____/_____/_____

12ª SEMANA

3. Responda conforme o texto:

   A) Por que o galo empoleirou-se no galho de uma árvore?
   _____

   B) Qual a novidade a raposa foi contar ao galo?
   _____

   C) Isso era verdade? Justifique sua resposta.
   _____

   D) Se você fosse o galo, acreditaria na raposa? Justifique sua resposta.
   _____

   E) Por que a raposa não esperou os cães chegarem?
   _____

   F) Na sua opinião, quem foi mais esperto: a raposa ou o galo? Justifique sua resposta.
   _____
   _____

   G) Explique com suas palavras a moral da história: "Contra esperteza, esperteza e meia".
   _____
   _____

4. Desenhe o final da história.

   ┌─────────────────────────────────┐
   │   │
   │   │
   │   │
   └─────────────────────────────────┘

3º ano – LÍNGUA PORTUGUESA

57

NOME: _____

12ª SEMANA

DATA: ___/___/_____

PONTUANDO TEXTOS

Eles servem para indicar pausas na fala, nos casos do ponto, da vírgula e do ponto e vírgula; ou entonações, nos casos do ponto de exclamação e de interrogação.

Além de pausa na fala e entonação da voz, os **sinais de pontuação** reproduzem, na escrita, nossas emoções, nossas intenções e nossos anseios.

	Quem sou eu?
.	Chamo-me **ponto-final**, apareço no fim das frases e indico que elas estão completas.
,	Eu sou a **vírgula**, uma pequena pausa que separa as palavras numa enumeração.
;	O meu nome completo é **ponto e vírgula**. Juntos, obrigamos uma pausa como o ponto-final, mas não terminamos a frase.
:	Nós somos **dois-pontos**. Depois de nós, vem tudo explicado em pormenor.
?	Chamo-me **ponto de interrogação** e sou muito curioso, por isso estou sempre fazendo perguntas, percebe?
!	Sou conhecido como **ponto de exclamação ou admiração** e apareço para mostrar sentimentos: admiração, alegria, tristeza, medo e outros mais.
...	Somos **três pontinhos** chamados reticências. Conosco fica sempre algo por dizer...
" "	Nós, as **aspas**, somos úteis pois assinalamos que determinada frase foi escrita por outros, e não por nós.
( )	Somos chamados de **parênteses**. No meio de uma frase, somos úteis para dar uma informação ou explicação.
—	O meu nome é **travessão**. Apareço nos diálogos para apontar a fala das personagens.

3º ano — LÍNGUA PORTUGUESA

NOME: _____

DATA: ____/____/_____

12ª SEMANA

5. Retire do texto do quadro da página anterior:

   A) Uma frase que tenha ponto-final.
   _____

   B) Uma frase que tenha dois-pontos e vírgula.
   _____

   C) Uma frase que tenha ponto de interrogação.
   _____

   D) Uma frase que tenha ponto de exclamação.
   _____

   E) Uma frase que tenha reticências.
   _____

6. Encontre o nome de quatro sinais de pontuação:

U	I	R	W	U	L	A	W	R	A	L	T
D	O	I	S	-	P	O	N	T	O	S	R
X	K	V	C	X	Y	Y	C	V	Y	Y	A
V	Í	R	G	U	L	A	G	R	A	L	V
T	M	X	F	T	J	F	F	X	F	J	E
Ç	N	D	H	Ç	G	G	H	D	G	G	S
K	U	E	J	K	D	H	J	E	H	D	S
P	O	N	T	O	-	F	I	N	A	L	Ã
T	P	T	G	T	S	K	G	T	L	S	O

3º ano — LÍNGUA PORTUGUESA

59

12ª SEMANA

NOME: _____

DATA: ____/____/_____

6. Recorte os sinais da página seguinte, cole-os nos locais corretos e forme uma frase com cada um deles.

[ ] Sou o ponto de interrogação.

_____

[ ] Sou o ponto-final.

_____

[ ] Sou o ponto de exclamação.

_____

[ ] Sou chamado de dois-pontos.

_____

[ ] Sou conhecido como aspas.

_____

3º ano — LÍNGUA PORTUGUESA

NOME: _____

DATA: ____/____/_____

12ª SEMANA

☐   Meu nome é travessão.

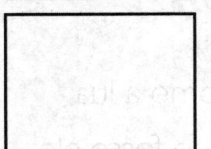

_____
_____

☐   Sou conhecido como reticências.

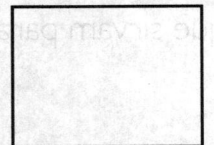

_____
_____

☐   Eu sou a vírgula.

_____
_____

:	" "	?	.
—	...	!	,

3º ano – LÍNGUA PORTUGUESA

1. A fábula a seguir está sem pontuação. Leia e pontue devidamente:

O Galo e a Pérola

Um galo que ciscava no terreiro para encontrar alimento fossem migalhas ou bichinhos para comer acabou encontrando uma pérola preciosa após observar sua beleza por um instante disse

Ó linda e preciosa pedra que reluz seja como o sol seja como a lua ainda que esteja num lugar sujo se tu encontrasses um humano fosse ele um construtor de joias uma dama que gostasse de enfeites ou mesmo um mercenário te recolherias com muita alegria mas a mim de nada prestas pois que é mais importante uma migalha um verme ou um grão que sirvam para o sustento

Dito isto deixou-a e seguiu esgravatando para buscar conveniente mantimento

Fábulas de Esopo.

NOME: _____

DATA: ____/____/_____

12ª SEMANA

A) Copie o texto com as pontuações feitas:

_____
_____
_____
_____
_____
_____
_____
_____
_____
_____
_____
_____

B) Faça um desenho para ilustrar a fábula:

3º ano – LÍNGUA PORTUGUESA

13ª SEMANA

NOME: _____

DATA: ___/___/_____

2. Responda conforme a fábula:

   A) O que o galo ciscava para encontrar? O que encontrou?
   _____
   _____

   B) O que ele fez com a pérola? Por quê?
   _____
   _____

   C) O que era mais importante para o galo?
   _____

   D) Se você encontrasse uma pérola preciosa, o que faria?
   _____

   E) Escreva o nome de alguns acessórios femininos feitos de pérolas.
   _____

   F) Crie uma moral para a história. Use a criatividade.
   _____

3. Identifique as personagens:

   A) Ciscava:
   _____

   B) Bichinhos para comer:
   _____

   C) Preciosa:
   _____

   D) Reluzente:
   _____

3º ano – LÍNGUA PORTUGUESA

NOME: _____

DATA: ___/___/_____

13ª SEMANA

4. Observe a pontuação das frases e preencha a cruzadinha:

   A) Roberta foi à feira e comprou:
   B) Não quero brigas na minha casa.
   C) Queria tanto contar sobre...
   D) Os gordofóbicos (pessoas com aversão a gordos) são repugnantes.
   E) Gosto de balas, chocolates e chicletes.
   F) Que dia lindo amanheceu hoje!
   G) – Carmem disse:
   H) Quantos anos você tem?

3º ano – LÍNGUA PORTUGUESA

14ª SEMANA

NOME: _____

DATA: ____/____/_____

SINÔNIMO E ANTÔNIMO

1. Leia e faça o que se pede:

Guaraná – a essência dos frutos

Aguiry era o mais alegre indiozinho de sua tribo. Alimentava-se somente de frutas e todo dia saía pela floresta à procura delas, trazendo-as num cesto para distribuí-las entre seus amigos. Certo dia, Aguiry perdeu-se na mata. Por afastar-se demais da aldeia, acabou por dormir na floresta, pois, ao cair da noite, não conseguiria encontrar o caminho de volta. Jarupari, o demônio das trevas, vagava pela floresta. Tinha corpo de morcego, bico de coruja e também se alimentava de frutas. Ao encontrar o índio ao lado do cesto, não hesitou em atacá-lo. Os índios, preocupados com o menino, saíram à sua procura, encontrando-o morto ao lado do cesto vazio. Tupã, o deus do bem, ordenou que retirassem os olhos de Aguiry e os plantassem sob uma grande árvore seca. Seus amigos deveriam regar o local com lágrimas, até que ali brotasse uma nova planta, da qual nasceria o fruto que conteria a essência de todos os outros, deixando aqueles que dele comessem mais fortes e mais felizes. A planta que brotou dos olhos de Aguiry possui as sementes em forma de olhos, recebendo o nome de guaraná.

Domínio público.

3º ano – LÍNGUA PORTUGUESA

NOME: _____

DATA: ____/____/_____

14ª SEMANA

1. Responda conforme a lenda:

    A) Quem era Aguiry?
    _____

    B) De que se alimentava?
    _____
    _____

    C) Quem era Jarupari?
    _____

    D) Como ele era?
    _____
    _____

    E) O que Jarupari fez quando encontrou Aguiry na floresta?
    _____

    F) Como os índios encontraram Aguiry?
    _____

    G) Quem era Tupã?
    _____

    H) Qual foi a ordem que Tupã passou?
    _____
    _____
    _____

    I) Quais benefícios esse fruto trazia?
    _____

    J) Quais as características do fruto? Como o chamaram?
    _____
    _____

3º ano – LÍNGUA PORTUGUESA

14ª SEMANA

NOME: _____

DATA: _____/_____/_____

2. Agora, escreva um texto sobre os aspectos que chamaram a sua atenção na lenda e por quê?

_____
_____
_____
_____
_____
_____
_____
_____
_____

3. Retire do texto 12 dígrafos e 12 encontros consonantais.

DÍGRAFOS	ENCONTROS CONSONANTAIS

NOME: _____

DATA: ____/____/_____

14ª SEMANA

4. Substitua as palavras em destaque por outras do mesmo significado:

A) Aguiry era o mais **alegre** indiozinho de sua tribo.
_____

B) Aguiry perdeu-se na mata, por **afastar-se** demais da aldeia.
_____

C) Jarupari, o demônio das trevas, **vagava** pela floresta.
_____

D) Ao encontrar o índio ao lado do cesto, não **hesitou** em atacá-lo.
_____

E) Tupã, o deus do bem, **ordenou** que retirassem os olhos de Aguiry e os plantassem sob uma grande árvore seca.
_____
_____

F) Seus amigos deveriam **regar** o local com lágrimas.
_____

G) Defina sinônimo.
_____

3º ano – LÍNGUA PORTUGUESA

14ª SEMANA

NOME: _____

DATA: ____/____/_____

5. Substitua as palavras em destaque por antônimos.

   A) Aguiry era o mais **alegre** indiozinho de sua tribo.
   _____

   B) Saía pela floresta à procura de frutas, trazendo-as num cesto para distribuí-las entre seus **amigos**.
   _____

   C) Certo dia, Aguiry perdeu-se na mata por **afastar-se** demais da aldeia.
   _____

   D) Acabou por **dormir** na floresta.
   _____

   E) Os índios, **preocupados** com o menino, saíram à sua procura.
   _____

   F) Ordenou que retirassem os olhos de Aguiry e os plantassem em uma árvore **seca**.
   _____

   G) Aqueles que dele comessem seriam mais **fortes** e mais **felizes**.
   _____
   _____

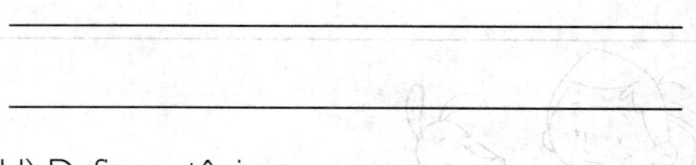

   H) Defina antônimo.
   _____

3º ano — LÍNGUA PORTUGUESA

NOME: _____

DATA: ____/____/_____

14ª SEMANA

6. Complete o quadro:

PALAVRA	SINÔNIMO	ANTÔNIMO
NEGRO		
ALEGRE		
TRANQUILO		
INFELIZ		
DISTANTE		
RESOLVER		
ENORME		
BONITA		
AMAR		
DESIGUAL		
CALMO		
FIM		
COMEÇO		
POBRE		
GANHAR		
DIVERTIDO		
BARULHO		
QUENTE		
SORRIR		
SABOROSO		

3º ano — LÍNGUA PORTUGUESA

15ª SEMANA

NOME: _____

DATA: ___/___/_____

TIPOS DE FRASES

1. Observe a cena e faça o que se pede:

A) Uma frase afirmativa.
_____

B) Uma frase exclamativa.
_____

C) Uma frase interrogativa.
_____

D) Uma frase negativa.
_____

E) Uma frase imperativa.
_____

3º ano — LÍNGUA PORTUGUESA

NOME: _____

DATA: ___/___/_____

15ª SEMANA

2. Identifique as frases:

- FRASE NEGATIVA
- FRASE AFIRMATIVA
- FRASE EXCLAMATIVA
- FRASE INTERROGATIVA
- FRASE IMPERATIVA

A) Que dia lindo e ensolarado!
_____

B) Marina é muito estudiosa.
_____

C) Não quero ninguém pulando na cama.
_____

D) Quantos irmãos você tem?
_____

E) Pega meu celular agora.
_____

F) Que dia tranquilo!
_____

G) Vá para a escola.
_____

3º ano – LÍNGUA PORTUGUESA

15ª SEMANA

NOME: _____

DATA: ___/___/_____

3. Forme frases conforme as figuras:

   A) Frase negativa:

   _____
   _____

   B) Frase imperativa:

   _____
   _____
   _____

   C) Frase interrogativa:

   _____
   _____

   D) Frase afirmativa:

   _____
   _____

   E) Frase exclamativa:

   _____
   _____

3º ano — LÍNGUA PORTUGUESA

NOME: _____

DATA: ____/____/_____

15ª SEMANA

4. Crie um diálogo:

Alguém narra		1ª frase afirmativa
Alguém pergunta		2ª frase interrogativa
Alguém responde		3ª frase exclamativa

5. Faça perguntas e dê respostas conforme as figuras:

- PERGUNTA: _____
_____

- RESPOSTA: _____
_____

- PERGUNTA: _____
_____

- RESPOSTA: _____
_____

3º ano – LÍNGUA PORTUGUESA

16ª SEMANA

NOME: _____

DATA: ___/___/_____

PALAVRAS COM GU

1. Leia e responda:

A águia e a raposa

Uma águia, tendo filhotes em uma árvore para sustentar, lançou-se sobre uma moita onde havia dois raposinhos muito pequenos.

A raposa, vendo isso, correu implorando para a águia que libertasse os filhotes. Mas a águia, lá no alto, zombou das súplicas e disse que iria preparar a refeição em seu ninho. A raposa, muito aflita, começou a cercar aquela árvore com muitas palhas, gravetos e ramos secos. Em seguida, ateou fogo, de tal maneira que fez uma fogueira muito grande. A águia, temerosa com a fumaceira e de que as labaredas atingissem seu ninho, soltou os filhotes da raposa, que correram para a mãe, ficando a ave um pouco chamuscada.

Fábulas de Esopo.

A) Qual é o título da fábula?
_____

B) O que a águia achou para alimentar seus filhotes?
_____

C) O que a raposa fez?
_____

D) O que a águia respondeu?
_____

E) No desespero, o que a raposa fez para proteger os filhotes?
_____
_____

F) O que fez a águia ao ver as chamas?
_____
_____
_____

NOME: _____

DATA: _____/_____/_____

16ª SEMANA

2. Ilustre a fábula e crie uma moral para a história.

MORAL DA HISTÓRIA: _____
_____
_____
_____

3. Retire do texto todas as palavras com **gu** e forme frases:
_____
_____
_____
_____
_____
_____
_____

3º ano – LÍNGUA PORTUGUESA

16ª SEMANA

NOME: _____

DATA: ____/____/_____

4. Coloque as palavras na coluna correta:

GUARANÁ	MOSQUITO	QUIABO	RÉGUA
ESQUELETO	FORMIGUEIRO	MÁQUINA	PERIQUITO
GUITARRA	FOGUEIRA	QUEIJO	ÁGUIA
PEQUENO	AQUÁRIO	ÁGUA	GUILHERME

QU	GU

5. Organize as palavras e forme uma frase:

ÁGUA   BEBE   O
JILÓ   E   COME
PERIQUITO   SUA
NA   GAIOLA.

3º ano – Língua Portuguesa

NOME: _____

DATA: ____/____/_____

16ª SEMANA

6. Forme 9 palavras com **GU** e **QU** sem repetir sílabas:

QUE	LE	RA	QUEI	TE	JO
TE	QUEI	CO	RO	DRO	QUA
QUE	GUI	TAR	FO	RA	GUE
A	FO	QUÁ	GUEI	RIO	RA

_____ _____
_____ _____
_____ _____
_____ _____
_____ _____

7. Encontre palavras com **GU** e **QU** no caça-palavras e pinte-as:

Á	G	U	A	X	X	G	U	A	R	A	N	Á
R	P	E	R	I	Q	U	I	T	O	A	F	G
O	O	S	Y	C	O	Q	U	E	I	R	O	U
Q	U	E	I	J	O	S	L	G	G	F	G	I
E	J	N	T	S	W	A	L	R	É	G	U	A
F	P	Q	U	I	A	B	O	A	S	J	E	T
T	P	O	R	Q	U	I	N	H	O	K	I	D
A	Q	U	Á	R	I	O	M	A	T	Y	R	A
R	M	K	R	T	S	U	B	R	N	A	A	R
O	G	U	I	T	A	R	R	A	I	R	O	M

3º ano – **LÍNGUA PORTUGUESA**

17ª SEMANA

NOME: _____

DATA: ____/____/_____

PALAVRAS COM GE, GI, JE E JI

1. Complete o diagrama de palavras:

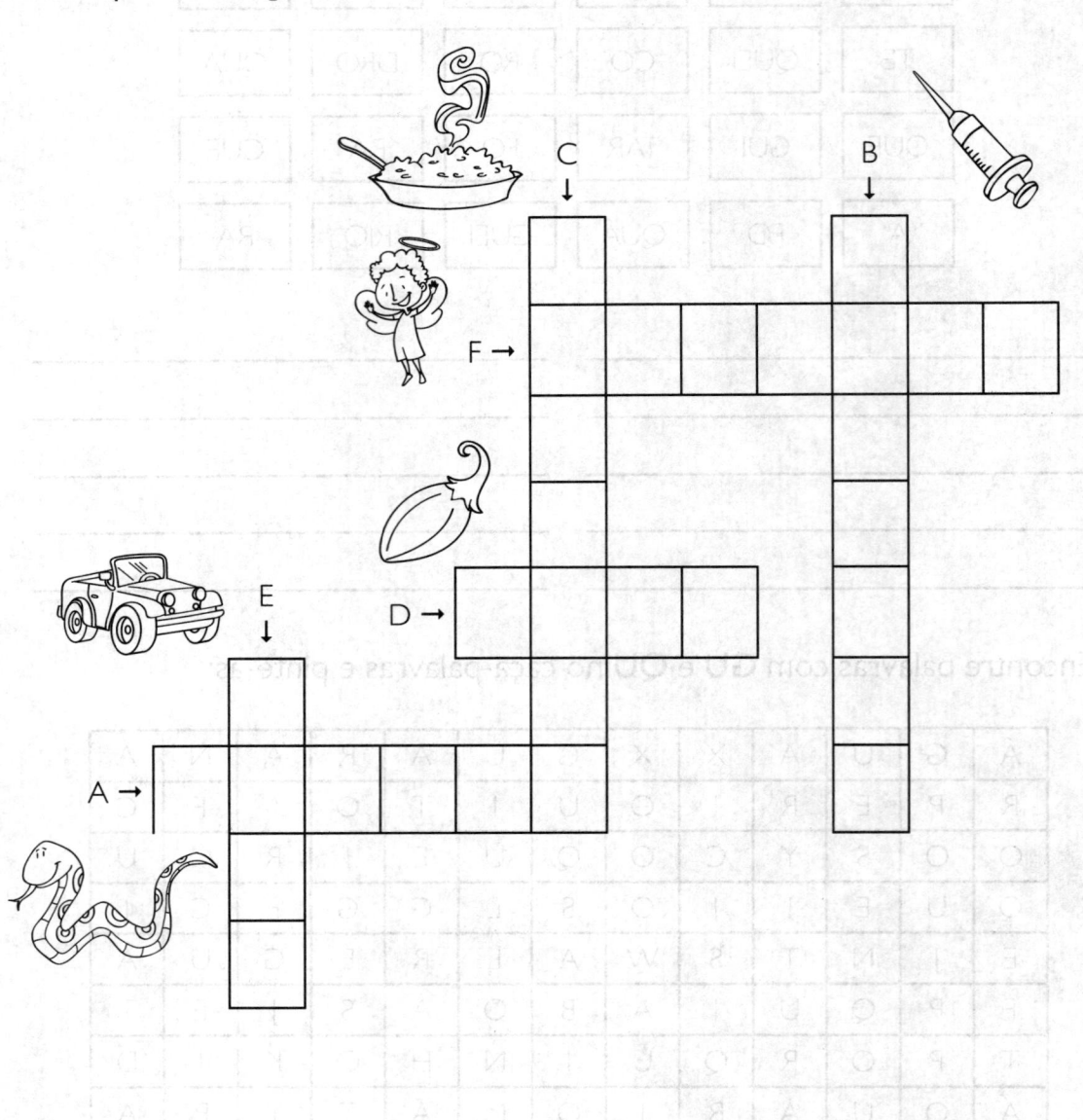

NOME: _____

DATA: ____/____/_____

17ª SEMANA

2. Forme uma frase com cada palavra do exercício anterior:

A) Jiboia
_____
_____

B) Injeção
_____
_____

C) Canjica
_____
_____

D) Jiló
_____
_____

E) Jipe
_____
_____

F) Anjinho
_____
_____

3º ano – LÍNGUA PORTUGUESA

17ª SEMANA

NOME: _____

DATA: ____/____/_____

3. Observe a legenda, desembaralhe as sílabas e forme palavras:

GE	GI	JE	JI

GI — DEI RA FRI _____

JE — NHO SU _____

JE — CAN CA _____

GI — MO TI LE _____

JE — NHO AN _____

GI — MEN FIN TO _____

GI — TES GAN CO _____

GI — TE LE _____

GI — AR LO SO _____

JE — BEI NHO _____

GI — LI A DE DA _____

JE — NHA LO _____

GE — DEI RA LA _____

JE — A BOI _____

GI — RE DO A FU _____

82   3º ano – LÍNGUA PORTUGUESA

NOME: _____

DATA: ____/____/_____

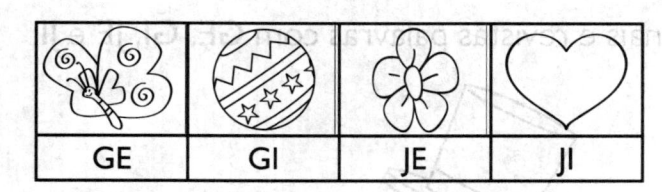

17ª SEMANA

GE	GI	JE	JI

A) O 🦋rino pulou na lagoa.
_____

B) Mamãe fez farofa de ♥ló.
_____

C) O pa🌸 é o chefe da tribo.
_____

D) Roberto fez a barba com 🥚lete.
_____

E) A ♥boia pertence ao grupo dos répteis.
_____

F) A 🦋latina pode ser de vários sabores.
_____

G) Compramos uma 🦋ladeira nova.
_____

5. Pinte as palavras cuja letra **G** tem o som de **J**:

GELADEIRA	GIRAFA	GATO
GALINHA	GIGANTE	GOMINHA
GENTE	GARFO	GEMIDO

3º ano – LÍNGUA PORTUGUESA

83

17ª SEMANA

NOME: _____

DATA: _____/_____/_____

6. Recorte de jornais e revistas palavras com **GE**, **GI**, **JE** e **JI**:

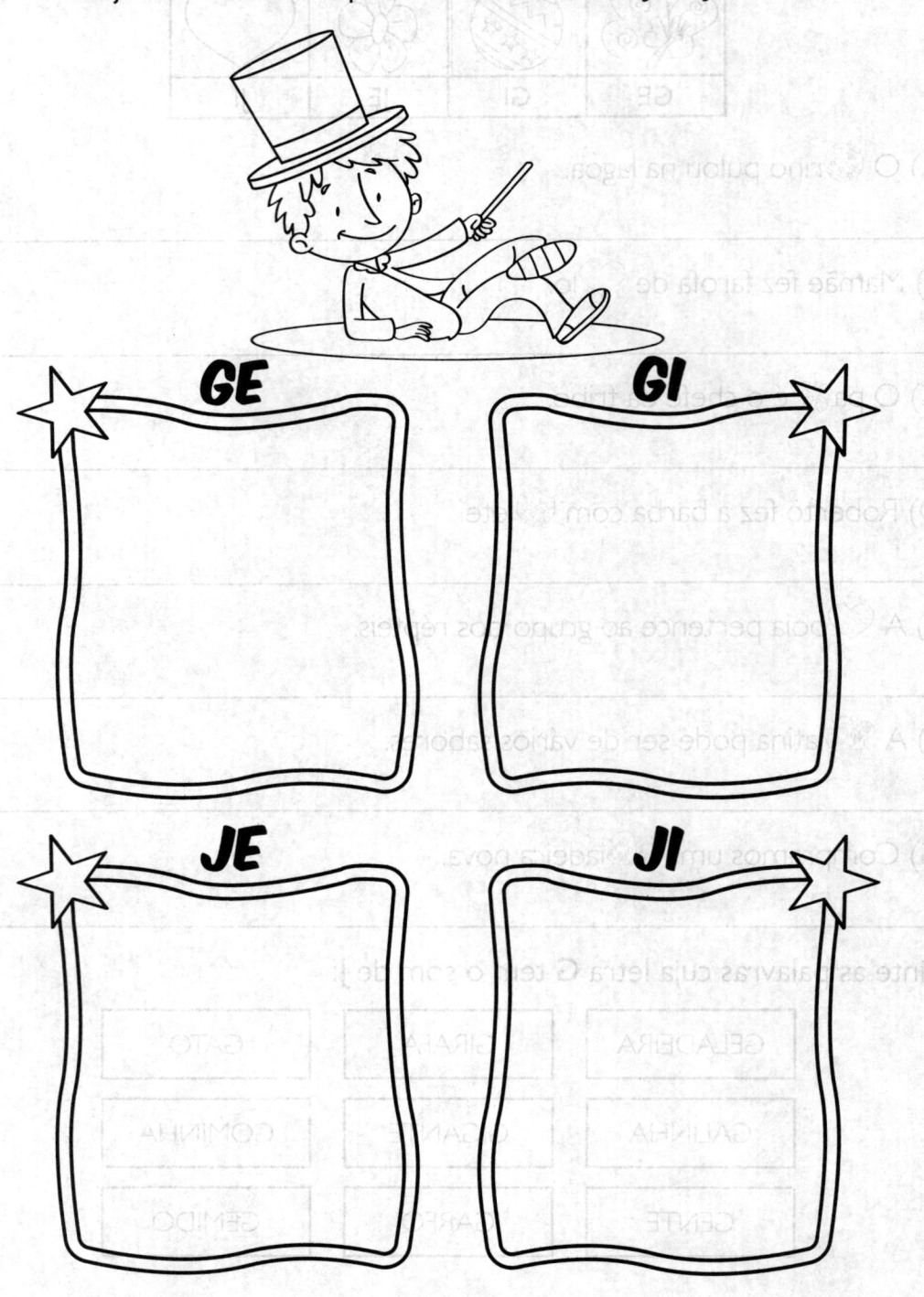

GE

GI

JE

JI

84   3º ano – Língua Portuguesa

NOME: _____

DATA: ____/____/_____

18ª SEMANA

SUBSTANTIVOS COMUNS E PRÓPRIOS

Observe:

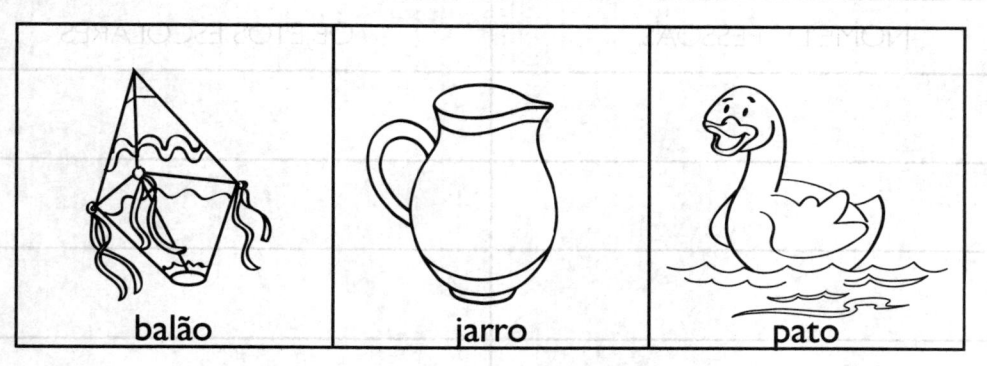

| balão | jarro | pato |

São **substantivos comuns**:

▶ Os **substantivos comuns** são escritos com **letra inicial minúscula**.

▶ Os nomes **próprios** de pessoas, animais, cidades, ruas, avenidas, países, escolas e estabelecimentos comerciais são chamados de **substantivos próprios** e escritos com **letra inicial maiúscula**.

Meu nome é Ana Maria.

Meu nome é Carlos.

3º ano — Língua Portuguesa

18ª SEMANA

NOME: _____

DATA: ____/____/_____

1. Preencha o quadro:

SUBSTANTIVOS PRÓPRIOS	SUBSTANTIVOS COMUNS
NOME DE PESSOAS	OBJETOS ESCOLARES

NOME DE ESTADOS	ACESSÓRIOS FEMININOS

3º ANO – LÍNGUA PORTUGUESA

NOME: _____

DATA: ___/___/_____

18ª SEMANA

2. Pinte conforme a legenda e, depois, preencha o quadro:

Substantivos próprios: vermelho

Substantivos comuns: amarelo

	chuva	verão	bola		
globo	Belém	Marajó	Diamantina		
água	Urano	abelha	Nilo	espada	rua
pessoa	Pedro	Bahia	Roraima	bermuda	
Carlos	sapato	amor	Atlântico	Mariana	Paraguai

SUBSTANTIVOS PRÓPRIOS	SUBSTANTIVOS COMUNS

3º ano — LÍNGUA PORTUGUESA

18ª SEMANA

NOME: _____

DATA: ___/___/_____

3. Classifique os substantivos:

SUBSTANTIVOS	COMUM	PRÓPRIO
Neymar		
menina		
Diamantina		
casa		
coelho		
Xuxa		
Manu		
escola		
Ceará		
mesa		
Roraima		
disco		

A) Defina substantivo comum.
_____
_____
_____

B) Defina substantivo próprio.
_____
_____
_____

3º ano — LÍNGUA PORTUGUESA

NOME: _____

DATA: ____/____/_____

18ª SEMANA

4. Crie um texto com as informações pedidas:

Produção de texto

Crie um texto utilizando cinco substantivos comuns e três substantivos próprios. Tema livre. Destaque de vermelho os substantivos comuns utilizados e de azul os substantivos próprios.

_____
_____
_____
_____
_____
_____
_____
_____
_____
_____
_____
_____
_____
_____
_____
_____
_____
_____
_____
_____

3º ano – LÍNGUA PORTUGUESA

NOME: _____

DATA: ___/___/_____

5. Marque corretamente.

Beto	casa	Toyota
☐ COMUM ☐ PRÓPRIO	☐ COMUM ☐ PRÓPRIO	☐ COMUM ☐ PRÓPRIO
boneca	Estados Unidos	Sabará
☐ COMUM ☐ PRÓPRIO	☐ COMUM ☐ PRÓPRIO	☐ COMUM ☐ PRÓPRIO
Júnior	gato	Ana Maria
☐ COMUM ☐ PRÓPRIO	☐ COMUM ☐ PRÓPRIO	☐ COMUM ☐ PRÓPRIO

A) Forme duas frases contendo substantivos próprios e comuns na mesma frase.

_____
_____
_____
_____
_____

3º ano – **LÍNGUA PORTUGUESA**

PALAVRAS COM R E RR

- O **R** tem som forte quando:
  - É a primeira letra da palavra. Exemplo: riacho
  - É a última letra da sílaba. Exemplo: falar
  - É duplo nas palavras. Exemplo: carreta

No começo, eu sou forte, por isso fico sozinho!

RUA

Já no meio, entre as vogais, eu começo a tremer e fico fraquinho!

BARATA

Logo, chamo meu irmão e juntos ficamos fortes. RR

TORRE

Mas nunca apareço assim no começo.

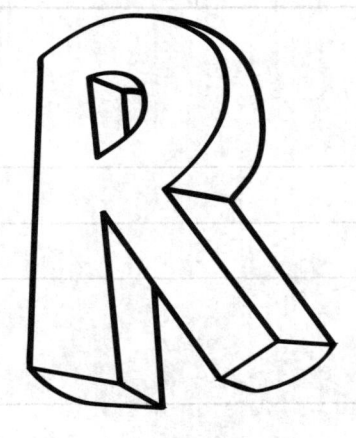

3º ano – LÍNGUA PORTUGUESA

19ª SEMANA

NOME: _____

DATA: ____/____/_____

1. Leia as palavras e registre-as na coluna certa:

BARRACA	TORRE	FERRO	DOER
BARATA	DOAR	RATO	CARRETA
BURACO	VIVER	OURO	AMOR
TERRA	RIO	ARARA	REI
COURO	RÁDIO	RUA	CAIR

R (INÍCIO)	R (BRANDO)	R (FORTE)	R (FINAL)

A) Quando o **R** é fraco?
_____
_____
_____

B) Quando o **R** é forte?
_____
_____
_____

3º ano – Língua Portuguesa

NOME: _____

DATA: ____/____/_____

19ª SEMANA

2. Complete com **R** ou **RR** e depois faça o que se pede:

te_____eiro	cadei_____a	pi_____aça
verdu_____a	cacho_____o	co_____ida
penei_____a	ba_____ata	ga_____afa
u_____ubu	se_____ote	mo_____ango
gi_____afa	ve_____uga	bo_____acha
maca_____ão	ma_____iposa	

A) Escolha uma palavra e forme uma frase afirmativa.
_____

B) Escolha uma palavra e forme uma frase negativa.
_____

C) Escolha uma palavra e forme uma frase interrogativa.
_____

D) Escolha uma palavra e forme uma frase exclamativa.
_____

E) Escolha uma palavra e forme uma frase imperativa.
_____

DICA: NÃO PODE REPETIR PALAVRAS

3º ano – LÍNGUA PORTUGUESA

19ª SEMANA

NOME: _____

DATA: ____/____/_____

3. Complete o quadro:

DESENHO	NOME	SÍLABAS	CLASSIFICAÇÃO QUANTO À SÍLABA TÔNICA

3º ano — LÍNGUA PORTUGUESA

NOME: _____

DATA: ___/___/_____

19ª SEMANA

4. Preencha a cruzadinha:

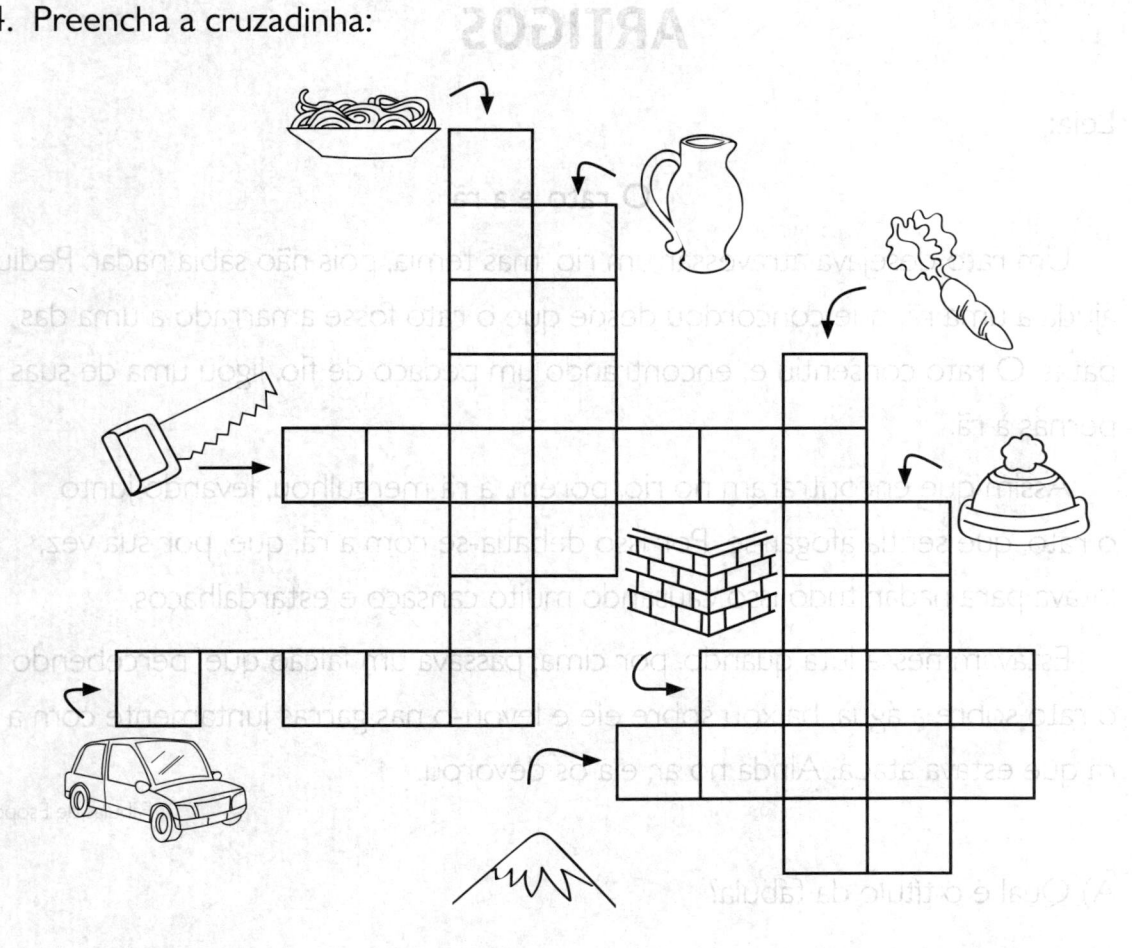

5. Faça a correção das palavras:

MORRANGO _____

MARRACUJÁ _____

PERRA _____

ABÓBORRA _____

LARRANJA _____

CENOURRA _____

CERREJA _____

CARRAMBOLA _____

3º ano — LÍNGUA PORTUGUESA

ARTIGOS

1. Leia:

O rato e a rã

Um rato desejava atravessar um rio, mas temia, pois não sabia nadar. Pediu ajuda a uma rã, que concordou desde que o rato fosse amarrado a uma das patas. O rato consentiu e, encontrando um pedaço de fio, ligou uma de suas pernas à rã.

Assim que encontraram no rio, porém, a rã mergulhou, levando junto o rato, que sentia afogar-se. Por isso debatia-se com a rã, que, por sua vez, lutava para nadar, tudo isso causando muito cansaço e estardalhaços.

Estavam nessa luta quando, por cima, passava um falcão que, percebendo o rato sobre a água, baixou sobre ele e levou-o nas garras juntamente com a rã que estava atada. Ainda no ar, ela os devorou.

Fábulas de Esopo.

A) Qual é o título da fábula?
_____

B) Qual era o desejo do rato? Por que não o realizou?
_____

C) Para quem o rato pediu ajuda e qual foi a condição?
_____

D) Como foi a travessia dos dois animais?
_____

E) O que ameaçou a travessia deles?
_____

NOME: _____

DATA: ____/____/_____

20ª SEMANA

F) Eles conseguiram fazer a travessia? O que aconteceu?
_____
_____

G) Crie a moral da história.
_____
_____

2. Reescreva as frases dando o significado das palavras destacadas.

A) Um rato **desejava** atravessar um rio, mas **temia** por não saber nadar.
_____

B) O rato **consentiu** e, encontrando um pedaço de fio, ligou uma de suas pernas à rã.
_____
_____

C) O rato **debatia** com a rã.
_____

D) Tudo isso causou muito **cansaço** e **estardalhaço**.
_____

E) O rato estava **atado** à rã.
_____

3º ano — LÍNGUA PORTUGUESA

ARTIGO DEFINIDO É O QUE DETERMINA O SUBSTANTIVO DE MODO PARTICULAR E PRECISO. SÃO ELES: **O, A, OS, AS**.

ARTIGO INDEFINIDO É O QUE DETERMINA O SUBSTANTIVO DE MODO VAGO E IMPRECISO. SÃO ELES: **UM, UMA, UNS, UMAS**.

OBS.: O **ARTIGO INDEFINIDO** INDICA, AO MESMO TEMPO, O **GÊNERO** E O **NÚMERO** DOS SUBSTANTIVOS.

3. Complete o texto com artigos definidos e indefinidos:

_____ rato desejava atravessar _____ rio, mas o temia, pois não sabia nadar. Pediu ajuda a _____ rã, que concordou desde que _____ rato fosse amarrado a _____ das patas.

_____ rato consentiu e, encontrando _____ pedaço de fio, ligou _____ de suas pernas à rã. Assim que entraram no rio, porém, _____ rã mergulhou, levando junto _____ rato, que sentia afogar-se. Por isso debatia-se com _____ rã, que, por sua vez, lutava para nadar, tudo isso causando muito cansaço e estardalhaços. Estavam nessa luta quando, por cima, passava ____ falcão, que, percebendo _____ rato sobre _____ água, baixou sobre ele e levou-o nas garras juntamente com _____ rã que estava atada. Ainda no ar, ela os devorou.

NOME: _____

DATA: ____/____/_____

20ª SEMANA

4. Observe a cena, forme cinco frases e destaque os artigos definidos de verde e os artigos indefinidos de azul:

_____
_____
_____
_____
_____
_____
_____
_____

3º ano – LÍNGUA PORTUGUESA

5. Observe os desenhos e forme frases:

　　_____
　　Artigo indefinido singular

　　_____
　　Artigo indefinido plural

　　_____
　　Artigo definido singular

　　_____
　　Artigo definido singular

　　_____
　　Artigo indefinido singular

　　_____
　　Artigo indefinido plural

　　_____
　　Artigo definido plural

　　_____
　　Artigo definido plural

A) Quais são os artigos definidos?
_____

B) Quais são os artigos indefinidos?
_____

3º ano — Língua Portuguesa

NOME: _____

DATA: ___/___/_____

20ª SEMANA

6. Use artigos definidos ou indefinidos de acordo com a indicação:

Indefinido: um, uma, uns, umas

Definido: a, o, as, os

- ( ) galo
- ( ) sol
- ( ) gato
- ( ) boi
- ( ) rato
- ( ) pau
- ( ) boca
- ( ) rei
- ( ) carro
- ( ) pá
- ( ) vaca
- ( ) pé
- ( ) sapo
- ( ) pia
- ( ) pato
- ( ) flor

3º ano – LÍNGUA PORTUGUESA

PALAVRAS COM SS

O **S** tem som forte quando:

- É a primeira letra da palavra. Exemplo: sábado.
- É a última letra da sílaba. Exemplo: pistas.
- É a primeira letra de uma sílaba que está depois de uma consoante. Exemplo: estado.
- Aparece duplo na palavra. Exemplo: pássaro.

Quando separamos as sílabas das palavras com **SS**, o primeiro **S** fica em uma sílaba e o segundo em outra. Exemplo: passarela → PAS SA RE LA

O **S** tem som de **Z** quando:

- É o único e inicia uma sílaba no meio da palavra. Não pode ser a primeira sílaba da palavra, e a sílaba anterior não pode terminar com **s**. Exemplos: pisada, orgulhoso, nervoso.

NOME: _____

DATA: ____/____/_____

21ª SEMANA

1. Preencha o diagrama do S e depois faça o que se pede:

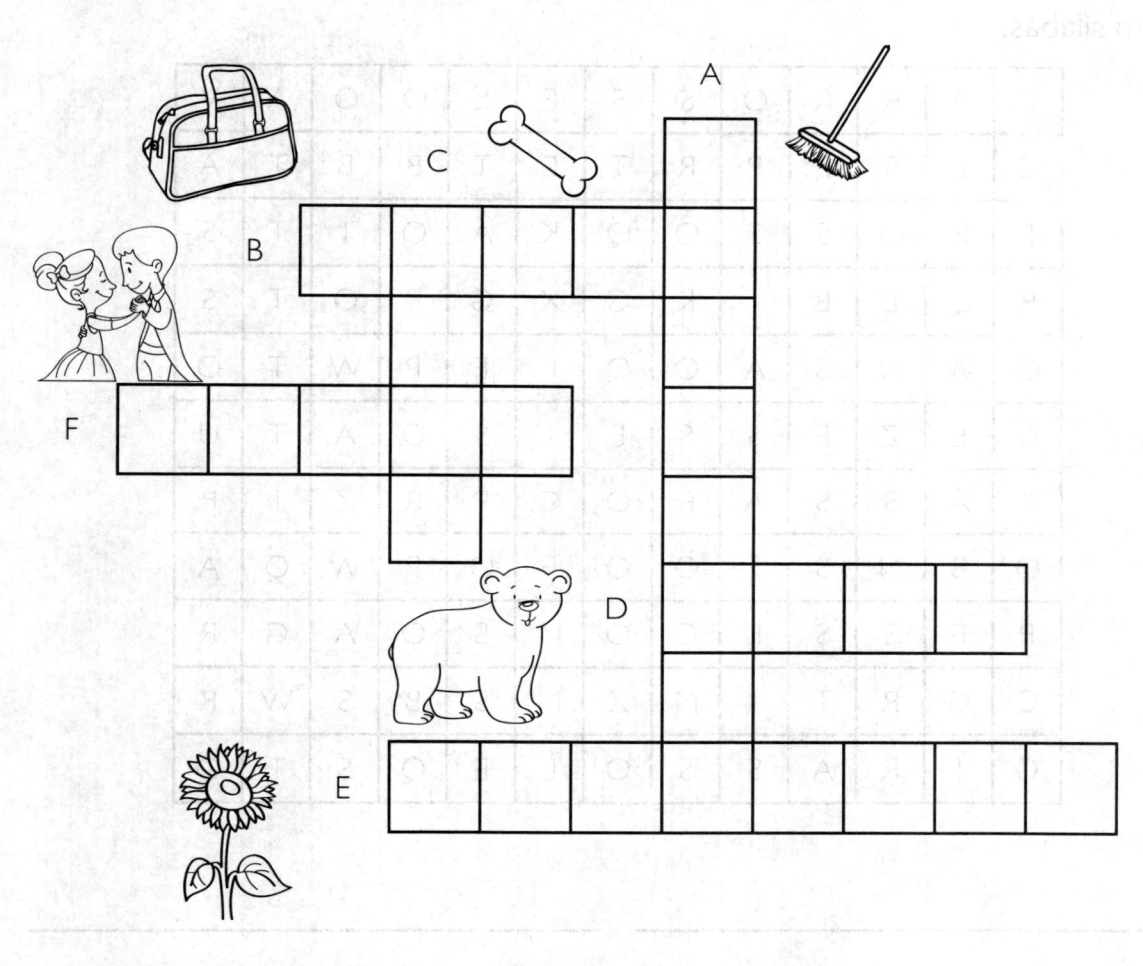

Forme uma frase afirmativa com o nome de cada figura:

_____
_____
_____
_____
_____

3º ano – LÍNGUA PORTUGUESA

21ª SEMANA

NOME: _____

DATA: ____/____/_____

2. Encontre oito palavras com **SS** e pinte-as. Depois, reescreva-as separando em sílabas:

C	A	R	R	O	S	S	E	L	O	O	A	V
C	E	S	P	P	R	T	E	T	B	B	T	A
F	R	O	S	S	O	Q	K	A	Q	I	T	S
R	Q	L	B	J	K	G	X	G	P	O	T	S
Q	W	N	S	A	O	Q	F	F	P	W	T	O
D	E	Z	E	S	S	E	I	S	O	A	T	U
P	Á	S	S	A	R	O	G	P	R	Z	I	R
Q	B	N	S	F	O	Q	F	O	P	W	Q	A
P	Ê	S	S	E	G	O	M	S	O	A	G	R
C	G	R	T	I	M	Z	N	S	B	S	W	R
G	I	R	A	S	S	O	L	E	Q	S	T	O

_____   _____
_____   _____
_____   _____
_____   _____

104 3º ANO – LÍNGUA PORTUGUESA

NOME: _____

DATA: ____/____/_____

21ª SEMANA

A) Quais palavras são proparoxítonas?
_____

B) O que você observou ao separar as palavras com **SS**?
_____

C) Quais palavras são oxítonas?
_____

D) Quais palavras são paroxítonas?
_____

3. Observe os desenhos e forme frases com palavras com **s** ou **ss**:

3º ano – Língua Portuguesa

21ª SEMANA

NOME: _____

DATA: ___/___/_____

A) Escreva as regras para o uso do **s** em:

- Ossos:
  _____

- Rosas:
  _____

- Sereia e sandália:
  _____

4. Substitua os desenhos por palavras e forme frases:

A) A 🧜 toma ☀️ todos os dias.
_____

B) O 👦 travesso brincou no 🎠.
_____

C) O 🍑 está dentro da 🧺.
_____

D) Cássia gosta de 🛏️ macio.
_____

E) A 🧭 é do tempo dos 🦕.
_____

NOME: _____

DATA: ____/____/_____

21ª SEMANA

5. Desembaralhe as sílabas e forme palavras:

PÁS	RO	SA

_____

LA	BÚS	SO

_____

CAR	SEL	ROS

_____

DI	RO	NOS	SAU

_____

TRA	SEI	VES	RO

_____

SE	PÊS	GO

_____

6. Escreva o que se pede:

A) Uma palavra iniciada com **S**.
_____

B) Uma palavra com **SS** entre vogais.
_____

C) Uma palavra com **S** entre duas vogais.
_____

D) Uma palavra com **S** entre uma vogal e uma consoante.
_____

3º ano – LÍNGUA PORTUGUESA

SUBSTANTIVO COLETIVO

Substantivo coletivo é a palavra que, no singular, indica um conjunto de vários elementos da mesma espécie.

Conheça alguns substantivos coletivos:

AGLOMERAÇÃO: DE PESSOAS.
ÁLBUM: DE FOTOGRAFIAS, DE SELOS.
ALCATEIA: DE LOBOS, DE FERAS.
ARQUIPÉLAGO: DE ILHAS.
ARVOREDO, BOSQUE OU FLORESTA: DE ÁRVORES.
BIBLIOTECA: DE LIVROS.
BOIADA: DE BOIS.
CÁFILA: DE CAMELOS.
CARDUME: DE PEIXES.
COLMEIA: DE CORTIÇOS DE ABELHAS.
CONSTELAÇÃO: DE ESTRELAS.
DÉCADA: PERÍODO DE DEZ ANOS.
DISCOTECA: DE DISCOS.
ENXAME: DE ABELHAS, DE INSETOS.
ESQUADRA: DE NAVIOS.
ESQUADRILHA: DE AVIÕES.
EXÉRCITO: DE SOLDADOS.
FAUNA: DE ANIMAIS DE UMA REGIÃO.
FLORA: DE PLANTAS DE UMA REGIÃO.
MATILHA: DE CÃES.
MOLHO: DE CHAVES.
MULTIDÃO: DE PESSOAS.
NUVEM: DE GAFANHOTOS, DE MOSQUITOS.
PENCA: DE FRUTAS.
POMAR: DE ÁRVORES FRUTÍFERAS.
RAMALHETE: DE FLORES.
REBANHO: DE BOIS, OVELHAS, CARNEIROS, CABRAS, GADO.
TRIBO: DE ÍNDIOS, DE PESSOAS.
VARA: DE PORCOS.

NOME: _____

DATA: ___/___/_____

22ª SEMANA

1. Complete o quadro:

DESENHO	PALAVRA	SUBSTANTIVO COLETIVO

3º ano – LÍNGUA PORTUGUESA

109

22ª SEMANA

NOME: _____

DATA: ___/___/_____

2. Escreva o coletivo das figuras abaixo, registre no local adequado e pinte-as. Depois, encontre os coletivos no diagrama:

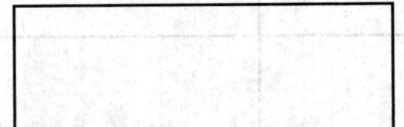

H	C	X	B	H	J	K	L	P	V
J	M	A	N	A	D	A	T	D	A
K	S	D	Y	P	L	K	R	T	R
L	V	B	G	H	J	K	L	M	A
R	C	D	X	V	B	M	L	P	N
Q	A	Q	W	R	V	B	T	N	Z
W	R	X	E	N	X	A	M	E	X
F	D	S	Q	W	K	L	Y	H	M
G	U	V	M	A	T	I	L	H	A
T	M	D	F	Q	W	Z	C	Y	H
S	E	W	R	T	Y	P	L	M	K

110 3º ano – LÍNGUA PORTUGUESA

NOME: _____

DATA: ___/___/_____

22ª SEMANA

3. Substitua a palavra em destaque por seu coletivo e reescreva a frase:

A) Os **índios** vivem em casas chamadas ocas.
_____

B) Os **bois** estão no pasto.
_____

C) Os **soldados** são os guardiões da população.
_____

D) Os **navios** transportam várias mercadorias.
_____

E) Chegaram as **ovelhas**.
_____

F) As **estrelas** brilham no céu ao anoitecer.
_____

G) As **uvas** foram colhidas do pé.
_____

H) Os **peixes** fugiram da rede.
_____

I) Os **alunos** fizeram uma excursão ao zoológico.
_____

J) Os **milhos** estão no ponto de serem colhidos.
_____

K) Com as **letras**, formamos várias palavras.
_____

3º ano – LÍNGUA PORTUGUESA

22ª SEMANA

NOME: _____

DATA: ___/___/_____

4. Substitua os coletivos por palavras relacionadas:

A) Mostrei meu álbum para meus amigos.
_____

B) A banda tocou no casamento da minha tia.
_____

C) O elenco apresentou uma peça maravilhosa.
_____

D) O rebanho foi tosquiado.
_____

E) Em um século, muitas coisas mudam na natureza.
_____

F) O pomar está repleto de frutas.
_____

G) Minha mãe teve uma prole de 7.
_____

H) A quadrilha assaltou uma joalheria.
_____

I) A pinacoteca está em exposição.
_____

J) A flora está completamente florida na primavera.
_____

K) Meu filho completou uma década.
_____

L) Uma junta analisou os exames da paciente.
_____

3º ano – LÍNGUA PORTUGUESA

NOME: _____

DATA: ___/___/_____

22ª SEMANA

5. Escreva os substantivos comuns de cada frase:

A) O enxame sugou o néctar das plantas.
_____

B) Toda mulher ama receber ramalhete.
_____

C) A professora possui uma diversificada biblioteca.
_____

D) A vara escapou do chiqueiro e custou a ser capturada.
_____

E) Conversamos com a classe sobre a nota.
_____

F) Uma multidão aplaudiu de pé a famosa cantora.
_____

G) Meu álbum da copa está completo.
_____

H) A fauna e a flora brasileira são riquíssimas.
_____

I) A constelação aparece em noites de lua cheia.
_____

J) A alcateia ataca os animais menores.
_____

K) A discoteca possui diversos estilos musicais.
_____

3º ano – LÍNGUA PORTUGUESA

6. Numere a coluna **B** de acordo com o número do substantivo coletivo:

A	SUBSTANTIVOS	B	COLETIVOS
1	BOIS		ALCATEIA
2	MÚSICOS		ARQUIPÉLAGO
3	PEIXES		ESQUADRA
4	ILHAS		ÁLBUM
5	MAPAS		DISCOTECA
6	ÁRVORES		BIBLIOTECA
7	ALHO		MATILHA
8	PLANTAS		FLORA
9	NAVIOS		CORDILHEIRA
10	ABELHAS		BOSQUE
11	LENHAS		RÉSTIA
12	CÃES		ORQUESTRA
13	MONTANHAS		ATLAS
14	FOTOGRAFIAS		ENXAME
15	AVIÕES		FEIXE
16	UVAS		CARDUME
17	LOBOS		ESQUADRILHA
18	DISCOS		AGLOMERAÇÃO
19	LIVROS		BOIADA
20	PESSOAS		CACHO

3º ano – LÍNGUA PORTUGUESA

NOME: _____

DATA: ____/____/_____

22ª SEMANA

7. Copie uma receita:

RECEITA DE: _____

INGREDIENTES	MODO DE FAZER

3º ano – LÍNGUA PORTUGUESA

115

GÊNERO DO SUBSTANTIVO

1. Leia com atenção:

O lobo e as ovelhas

Havia entre os lobos e as ovelhas uma guerra antiga.

As ovelhas, ainda que fracas, ajudadas pelos rafeiros (cães de guarda), sempre levavam o melhor.

Certa vez, os lobos pediram paz, oferecendo como penhor seus filhotes, desde que as ovelhas entregassem os rafeiros.

As ovelhas, cansadas daquela guerra, aceitaram e as pazes foram feitas. Aconteceu que, estando presos, os filhotes dos lobos começaram a uivar continuamente.

Seus pais, ouvindo isso, correram a acudir afirmando que a paz estava quebrada e tornaram a fazer a guerra.

As ovelhas bem que tentaram se defender, mas, como sua principal força consistia nos cães de guarda que haviam entregado aos lobos, facilmente foram vencidas e devoradas.

NOME: _____

DATA: _____/_____/_____

23ª SEMANA

A) Por que as ovelhas sempre levavam a melhor?
_____

B) O que são rafeiros?
_____

C) As ovelhas fizeram as pazes com os lobos? Como aconteceu?
_____
_____

D) Os lobos cumpriram a promessa? Por quê?
_____
_____

E) O que aconteceu com as ovelhas?
_____
_____

F) Qual é a moral desta história?
_____
_____

G) Ilustre a fábula.

23ª SEMANA

NOME: _____

DATA: ___/___/_____

2. Crie um bilhete em que o lobo deverá pedir paz para as ovelhas:

_____
_____
_____
_____
_____
_____
_____
_____

DICA
O bilhete deve ter um texto curto, com destinatário, remetente e data.

3º ano – LÍNGUA PORTUGUESA

NOME: _____

DATA: ____/____/_____

23ª SEMANA

Os substantivos podem estar no gênero masculino ou feminino.

Veja algumas palavras no **masculino** e no **feminino**:

MASCULINO	FEMININO
PAPAI	MAMÃE
ALUNO	ALUNA
BOI	VACA
TIO	TIA
PATO	PATA
AVÔ	AVÓ
CAVALO	ÉGUA
PRIMO	PRIMA
LEÃO	LEOA
AMIGO	AMIGA
MOÇO	MOÇA
NETO	NETA
MENINO	MENINA
PADRINHO	MADRINHA
AUTOR	AUTORA
LADRÃO	LADRA
HOMEM	MULHER
CÃO	CADELA
SOGRO	SOGRA
GALO	GALINHA
ATOR	ATRIZ
REI	RAINHA
ALFAIATE	COSTUREIRA
BODE	CABRA
CARNEIRO	OVELHA
CAVALEIRO	AMAZONA
COMPADRE	COMADRE
FRADE	FREIRA
GENRO	NORA
PADRASTO	MADRASTA
PRÍNCIPE	PRINCESA
REI	RAINHA
RÉU	RÉ
ZANGÃO	ABELHA

3º ano – LÍNGUA PORTUGUESA

23ª SEMANA

NOME: _____

DATA: ____/____/_____

3. Complete a fábula com um substantivo masculino ou feminino:

O _____ e as _____

Havia entre os _____ e as _____ uma guerra antiga.

As _____, ainda que fracas, ajudadas pelos _____ (_____), sempre levavam o melhor.

Certa vez, os _____ pediram paz, oferecendo como penhor seus _____, desde que as _____ entregassem os rafeiros.

As _____, cansadas daquela guerra, aceitaram e as _____ foram feitas. Aconteceu que, estando presos, os _____ dos _____ começaram a uivar continuamente.

Seus pais, ouvindo isso, correram a acudir afirmando que a paz estava quebrada e tornaram a fazer a _____.

As _____ bem que tentaram se defender, mas, como sua principal força consistia nos _____ (rafeiros), que haviam entregado aos _____, facilmente foram vencidas e devoradas.

A) Reescreva as palavras que você colocou no texto, escrevendo o artigo definido adequado conforme o texto:

_____   _____

_____   _____

_____   _____

_____   _____

4. Numere fazendo a correspondência entre masculino e feminino:

	MASCULINO		FEMININO
1	O PROFESSOR		A AMANTE
2	O JOVEM		A INTELIGENTE
3	O ATOR		A CLIENTE
4	O IRMÃO		A ATRIZ
5	O DUQUE		A SABICHONA
6	O FRANCÊS		A ÓRFÃ
7	O ÓRFÃO		A CHINESA
8	O CLIENTE		A PROFESSORA
9	O LEÃO		A NETA
10	O NETO		A FRANCESA
11	O AMANTE		A PEONA/PEOA
12	O SABICHÃO		A PLEBEIA
13	O PLEBEU		A DUQUESA
14	O COLEGA		A IRMÃ
15	O CHINÊS		A COLEGA
16	O PEÃO		A DOENTE
17	O DOENTE		A LEOA
18	O EMBAIXADOR		A EMBAIXATRIZ
19	O JUIZ		A JOVEM
20	O INTELIGENTE		A JUÍZA

3º ano – LÍNGUA PORTUGUESA

23ª SEMANA

NOME: _____

DATA: ___/___/_____

5. Retire os substantivos das frases e escreva o gênero:

A) O papa está feliz.
_____

B) A lavadeira lavou tudo muito bem.
_____

C) O menino e a menina leram bem.
_____

D) O exame é muito difícil
_____

E) O lápis azul foi apontado.
_____

F) A xícara é antiga.
_____

G) O elefante e a girafa vivem presos e tristes.
_____

H) O jardim está florido.
_____

I) O genro e a nora estão emocionados.
_____

3º ano — LÍNGUA PORTUGUESA

23ª SEMANA

6. Leia com atenção:

A boa sopa

Era uma vez uma **mocinha** pobre e piedosa que vivia sozinha com a **mãe**. Como não havia mais nada para comer na casa delas, a **menina** entrou na floresta em busca de alguma coisa. Na floresta ela encontrou uma **mulher** idosa que tinha conhecimento de sua pobreza e lhe deu de presente uma panelinha à qual era suficiente dizer: "Panelinha, cozinhe!", para que na mesma hora ela cozinhasse uma excelente sopa de painço bem cremosa; e, quando alguém dizia: "Panelinha, pode parar!", ela logo parava de fazer a sopa.

A menina voltou para casa levando a panela e com aquele presente a pobreza das duas acabou, pois mãe e **filha** comiam a boa sopa da panelinha sempre que tinham vontade, e na quantidade que quisessem. Uma vez a menina havia saído e a mãe disse: "Panelinha, cozinhe!". A panela cozinhou e a mãe comeu até ficar satisfeita; quando a fome acabou, a mãe quis que a panelinha parasse, mas, como ela não sabia o que era preciso dizer, a panela continuou fazendo a sopa e a sopa transbordou, a panelinha continuou e a sopa escorreu pela cozinha, encheu a cozinha, escorreu pela casa, e depois invadiu a casa dos vizinhos, depois a rua, e continuou sempre escorrendo por todos os lugares, como se o mundo todo fosse ficar cheio de sopa para que ninguém mais sentisse fome.

É, mas o problema é que ninguém sabia o que fazer para resolver a situação. A rua inteira, as outras ruas, tudo cheio de sopa, e, quando em toda a cidade só tinha sobrado uma casinha que não estava cheia de sopa, a menina voltou para casa e disse calmamente: "Panelinha, pode parar!", e a panela parou e a enchente de sopa acabou.

Só que todo aquele que quisesse entrar na cidade era obrigado a abrir caminho comendo a sopa.

Contos de Grimm.

Responda:

A) "Era uma vez uma mocinha pobre e piedosa que vivia sozinha com a mãe. Como não havia mais nada para comer em casa, a menina adentrou na floresta em busca de alguma coisa".

O que a menina estava procurando? Justifique sua resposta.

_____

3º ano — **LÍNGUA PORTUGUESA**

NOME: _____

DATA: ____/____/_____

B) Por que a idosa ajudou a menina?
_____

C) Qual o presente a idosa deu à menina? Como funcionava?
_____

D) A panela funcionou? Justifique sua resposta.
_____

E) Por que a sopa transbordou e encheu toda a cidade?
_____

F) Quando a sopa parou de ser produzida?
_____

G) Como as pessoas faziam para entrar na cidade após o episódio da sopa?
_____

H) Conte uma situação em que envolve o problema da fome no nosso país.
_____

7. Dê o masculino das palavras em destaque no texto:

Palavra	Masculino
Mocinha	
Menina	
Filha	

Palavra	Masculino
Mãe	
Mulher	

3º ano – Língua Portuguesa

NÚMERO DO SUBSTANTIVO

Os substantivos flexionam-se em número: singular e plural.

Grande parte dos substantivos forma plural com o acréscimo do **-S**. Assim acontece com as palavras terminadas em vogal ou ditongo, com as paroxítonas e algumas oxítonas:

Exemplos: guri: guris
jiló: jilós
mãe: mães
órfão: órfãos
pagão: pagãos
rei: reis

Algumas regras:

A) A maioria das palavras terminadas em **-ÃO** vira **-ÕES**:

Exemplos: lição: lições
limão: limões
procissão: procissões
reunião: reuniões
sabichão: sabichões

B) Algumas palavras terminadas em **-ÃO** viram **-ÃES**:

Exemplos: pão: pães
escrivão: escrivães

C) Algumas palavras terminadas em **-ÃO** podem ter vários plurais:

Exemplos: guardião: guardiães ou guardiões
sacristão: sacristães ou sacristãos ou sacristões

NOME: _____

DATA: ____/____/_____

24ª SEMANA

D) Alguns timbres de alguns substantivos mudam na passagem para o plural.

Exemplos: olho: olhos
reforço: reforços
socorro: socorros
tijolo: tijolos

E) Outros mantêm o timbre:

Exemplos: namoro: namoros
pescoço: pescoços
sopro: sopros
rosto: rostos

F) Substantivos terminados em **-R**, **-Z** e **-N** formam o plural pelo acréscimo de **-ES**:

Exemplos: mar: mares
pilar: pilares
rapaz: rapazes
vez: vezes

G) Substantivos oxítonos terminados em **-S** formam plural pelo acréscimo de **-ES**. Só vale para as palavras oxítonas. As paroxítonas e proparoxítonas não variam.

Exemplos: retrós: retroses
revés: reveses
ônibus: ônibus (proparoxítona)
pires: pires (paroxítona)
vírus: vírus (paroxítona)

H) Substantivos terminados em **-AL**, **-EL**, **-OL** e **-UL** substituem o **-L** por **-IS**:

Exemplos: anzol: anzóis
farol: faróis
móvel: móveis
nível: níveis

126 3º ano – LÍNGUA PORTUGUESA

NOME: _____

DATA: ____/____/_____

24ª SEMANA

I) Substantivos oxítonos terminados em **-IL** trocam **-L** por **-S**:

Exemplos: barril: barris
                 canil: canis
                 civil: civis
                 funil: funis

J) O substantivo primitivo e o sufixo vão para o plural de forma separada, mas, ao juntar, o **-S** do substantivo primitivo é retirado:

Exemplos: bar: bare(s) + zinhos = barezinhos
                 cão: cãe(s) + zinhos = cãezinhos
                 colar: colare(s) + zinhos = colarezinhos

K) Substantivos compostos formados por palavras unidas sem hífen são tratados como substantivos simples:

Exemplos: aguardente: aguardentes
                 girassol: girassóis
                 lobisomem: lobisomens
                 passatempo: passatempos

L) Substantivos compostos formados por palavras unidas por hífen podem ir para o plural, todos ou apenas um deles:

Exemplos: obra-prima: obras-primas
                 couve-flor: couves-flores
                 grão-mestre: grão-mestres
                 guarda-roupa: guarda-roupas

24ª SEMANA

NOME: _____

DATA: ____/____/_____

1. Recorte de jornais ou revistas palavras no:

SINGULAR

PLURAL

3º ano – Língua Portuguesa

NOME: _____

DATA: ____/____/_____

24ª SEMANA

2. Complete o quadro:

SINGULAR	PLURAL
PIRES	
	ÔNIBUS
	LÁPIS
ANEL	
	FERAS
	ANÕES
EMA	
TÊNIS	
	RATOS
ATLAS	
	GRILOS
BALEIA	
ÁLBUM	
	MÃES
ÓRFÃO	
	CAMPEÕES
COBRA	
DISCOTECA	
JARDIM	
	AVIÕES
GRÃO	

3º ano – LÍNGUA PORTUGUESA

NOME: _____

DATA: ____/____/_____

24ª SEMANA

3. Leia a fábula:

O menino e o lobo

Um jovem pastor de ovelhas, encarregado que fora de tomar conta de um rebanho perto de um vilarejo, por três ou quatro vezes, fez com que os moradores e os donos dos animais viessem correndo apavorados ao local do pasto, sempre motivados pelos seus desesperados gritos:

— Olha o lobo, lobo!

E, quando eles se aproximavam do local do pastoreio, imaginando que o jovem estava em apuros com o lobo, lá estava ele sempre a zombar do pavor que todos estavam a sentir.

O lobo, entretanto, por fim, de fato se aproximou do rebanho. Então, o jovem pastor, agora realmente apavorado, tomado pelo terror e pela aflição, gritava desesperado:

— Por favor, venham me ajudar, o lobo está matando o rebanho!

Mas, dessa vez, seus gritos foram em vão, e ninguém mais deu ouvidos aos seus apelos.

Moral da história: ninguém acredita em um mentiroso, mesmo quando ele se dispõe a falar a verdade.

NOME: _____

DATA: ___/___/_____

24ª SEMANA

A) O pastor cuidava de quais animais?
_____

B) Onde o pastor ficava cuidando dos animais?
_____

C) Qual a mentira que ele pregava?
_____
_____

D) O que você acha do comportamento do pastor? Justifique sua resposta.
_____

E) O que aconteceu quando o lobo apareceu de verdade?
_____
_____

F) Ilustre a fábula:

3º ano — LÍNGUA PORTUGUESA

NOME: _____

24ª SEMANA

DATA: ____/____/_____

4. Passe as frases para o plural:

A) O menino e o lobo.
_____

B) O jovem pastor de ovelha.
_____

C) O morador e o dono do animal vinham correndo.
_____

D) O jovem pastor gritou apavorado.
_____

E) O lobo está matando o rebanho.
_____

F) O pastor é mentiroso.
_____

G) O pastor ficou aflito.
_____

H) O menino ficou conhecido como mentiroso.
_____

I) O lobo devorou a ovelha.
_____

J) O menino ficou apavorado com o ataque do lobo.
_____

K) O menino aprendeu a lição.
_____

L) O menino não vai mentir mais.
_____

3º ano – LÍNGUA PORTUGUESA

NOME: _____

DATA: ____/____/_____

24ª SEMANA

5. Forme frases seguindo a orientação entre parênteses.

   A) Xícara (no plural).
   _____

   B) Álbum (no singular).
   _____

   C) Girassol (no plural).
   _____

   D) Passatempo (no singular).
   _____

6. Recorte de jornais e revistas palavras com **-AO** e passe-as para o plural, conforme indicações:

ÃO	ÃOS

ÃO	ÕES

3º ano – LÍNGUA PORTUGUESA

24ª SEMANA

NOME: _____

DATA: ____/____/_____

7. Observe as imagens e crie um texto:

1º passo: escreva uma frase para cada quadrinho.

1. _____
2. _____
3. _____
4. _____
5. _____

3º ano – LÍNGUA PORTUGUESA

NOME: _____

DATA: ____/____/_____

24ª SEMANA

2º passo: agora escreva um texto contando a história.

_____
_____
_____
_____
_____
_____
_____
_____
_____
_____
_____
_____
_____
_____
_____
_____
_____
_____
_____
_____
_____
_____
_____
_____
_____

3º ano — LÍNGUA PORTUGUESA

NOME: _____

DATA: ___/___/_____

25ª SEMANA

GRAU DO SUBSTANTIVO

1. Leia:

O lobo e o cão

Um lobo espantosamente magro encontrou um cão gordo e bem nutrido. Não podendo atacá-lo, chegou-se a ele humildemente, e o cão lhe disse que, se desejasse viver tão bem quanto ele, era só acompanhá-lo até sua casa. Mas, quando o lobo viu a marca que a coleira deixara no pescoço do cão, alegou que preferia passar fome a perder a liberdade.

Moral da história: a liberdade é o bem mais precioso que temos. Por isso, é preciso tudo fazer e até sacrificar-se para mantê-la.

Fábulas de Esopo.

A) Escreva a parte da fábula em que são descritas as características do lobo e do cão.
_____
_____

B) Explique a frase: "[...] e o cão lhe disse que, se desejasse viver tão bem quanto ele, era só acompanhá-lo até sua casa".
_____
_____

C) O lobo acompanhou o cão? Justifique sua resposta.
_____

D) Explique a moral da história.
_____
_____

NOME:_____

DATA:____/____/_____

25ª SEMANA

E) Ilustre a fábula:

[ ]

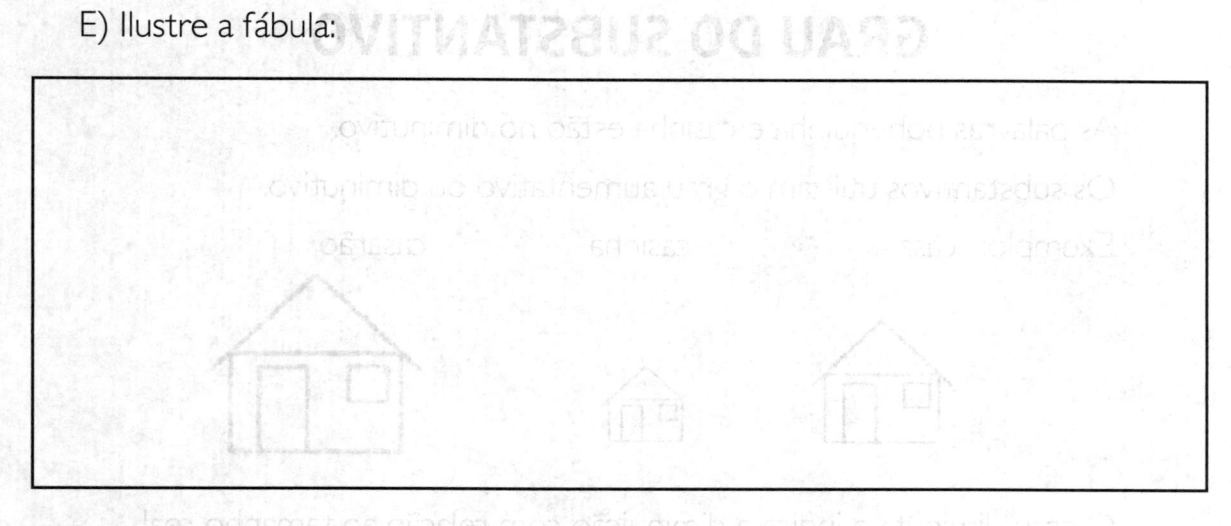

2. Reescreva as frases, substituindo as palavras grifadas por outras com mesmo significado.

A) O meu **amo** me trata muito bem.
_____

B) Minha única **função** é latir à noite.
_____

C) Um lobo **espantosamente** magro.
_____

D) O cão era gordo e bem **nutrido**.
_____

3º ano – Língua Portuguesa

GRAU DO SUBSTANTIVO

As palavras bonequinha e casinha estão no diminutivo.

Os substantivos utilizam o grau aumentativo ou diminutivo.

Exemplo: casa   casinha   casarão

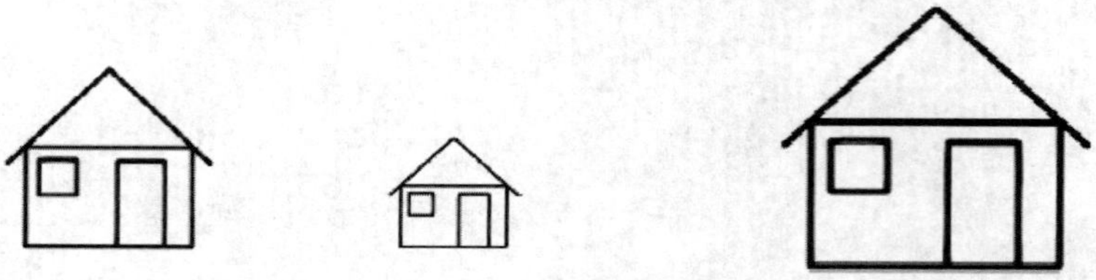

O grau diminutivo indica a diminuição com relação ao tamanho real.

Exemplo: sala   salinha

O grau aumentativo indica o aumento com relação ao tamanho real.

Exemplo: sala   salão

Normal	Diminutivo	Aumentativo
coelho	coelhinho	coelhão
cachorro	cachorrinho	cachorrão
rato	ratinho	ratão
pato	patinho	patão
porco	porquinho	porcão
cavalo	cavalinho	cavalão
pé	pezinho	pezão
menino	menininho	meninão
sapato	sapatinho	sapatão
bola	bolinha	bolão
peixe	peixinho	peixão
tomate	tomatinho	tomatão
prato	pratinho	pratão

3º ano — Língua Portuguesa

NOME: _____

DATA: ____/____/_____

25ª SEMANA

3. Reescreva a fábula, trocando as palavras em destaque pelo diminutivo.

O **lobo** e o **cão**

Um **lobo** espantosamente **magro** encontrou um **cão gordo** e bem nutrido. Não podendo atacá-lo, chegou-se a ele humildemente, e o **cão** lhe disse que, se desejasse viver tão bem quanto ele, era só acompanhá-lo até sua **casa**. Mas, quando o **lobo** viu a marca que a **coleira** deixara no **pescoço** do **cão**, alegou que preferia passar fome a perder a liberdade.

Fábulas de Esopo.

3º ano – LÍNGUA PORTUGUESA

4. Reescreva a fábula, trocando as palavras em destaque pelo aumentativo.

O **lobo** e o **cão**

Um **lobo** espantosamente **magro** encontrou um **cão gordo** e bem nutrido. Não podendo atacá-lo, chegou-se a ele humildemente, e o **cão** lhe disse que, se desejasse viver tão bem quanto ele, era só acompanhá-lo até sua **casa**. Mas, quando o **lobo** viu a marca que a **coleira** deixara no **pescoço** do **cão**, alegou que preferia passar fome a perder a liberdade.

Fábulas de Esopo.

NOME: _____

DATA: ____/____/_____

25ª SEMANA

5. Substitua as palavras do texto conforme a legenda:

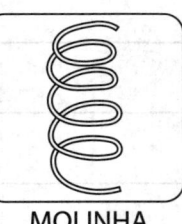

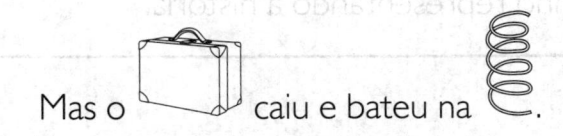

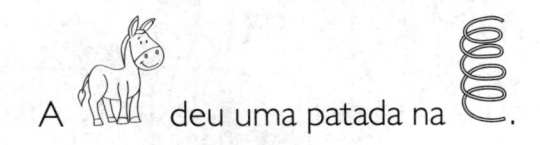

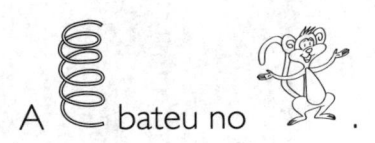

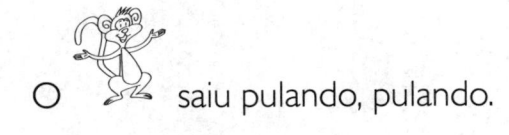

| MACACÃO | MULINHA | MALÃO | MOLINHA |

O 🐵 levava a 🌀.

A 🐴 levava o 🧳.

Mas o 🧳 caiu e bateu na 🌀.

A 🐴 deu uma patada na 🌀.

A 🌀 bateu no 🐵.

O 🐵 saiu pulando, pulando.

E caiu no mato.

3º ano — LÍNGUA PORTUGUESA

25ª SEMANA

NOME: _____

DATA: ___/___/_____

A) Reescrita:

_____
_____
_____
_____
_____
_____
_____
_____

B) Faça um desenho representando a história.

3º ano – LÍNGUA PORTUGUESA

NOME: _____

DATA: ___/___/_____

26ª SEMANA

AINDA SOBRE GRAU DO SUBSTANTIVO

1. Complete o quadro com as palavras abaixo:

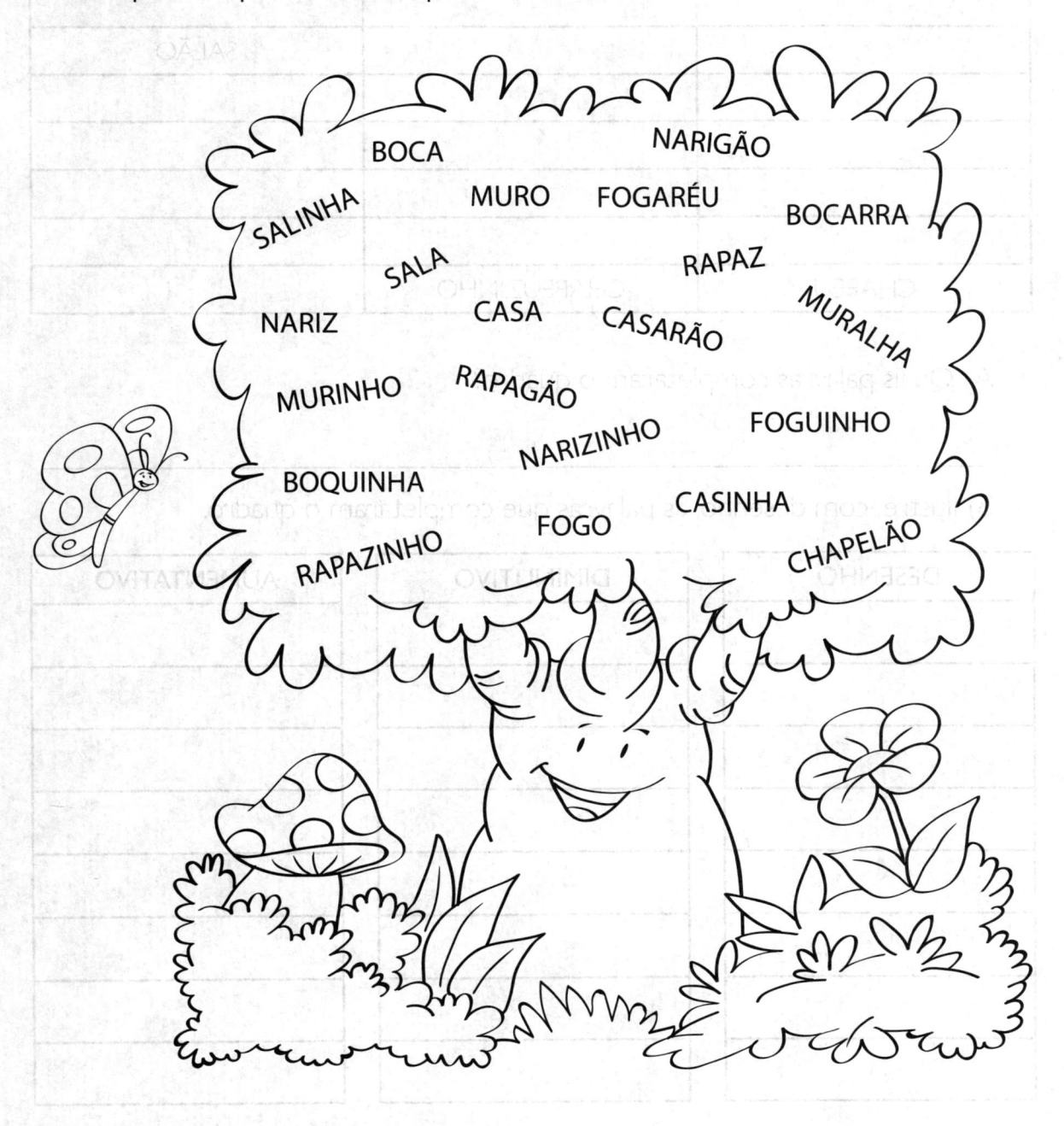

BOCA NARIGÃO SALINHA MURO FOGARÉU BOCARRA SALA RAPAZ NARIZ CASA CASARÃO MURALHA MURINHO RAPAGÃO FOGUINHO NARIZINHO BOQUINHA CASINHA FOGO RAPAZINHO CHAPELÃO

3º ano – LÍNGUA PORTUGUESA

143

26ª SEMANA

NOME: _____

DATA: ____/____/_____

NORMAL	DIMINUTIVO	AUMENTATIVO
		SALÃO
CHAPÉU	CHAPEUZINHO	

A) Quais palavras completaram o quadro?

_____

B) Ilustre, com desenho, as palavras que completaram o quadro.

DESENHO	DIMINUTIVO	AUMENTATIVO

3º ano – Língua Portuguesa

NOME: _____

DATA: ____/____/_____

26ª SEMANA

2. Escreva o nome de 7 coisas encontradas em sua casa e dê o aumentativo e o diminutivo:

DIMINUTIVOS	NORMAL	AUMENTATIVOS

3º ano – LÍNGUA PORTUGUESA

26ª SEMANA

NOME: _____

DATA: ____/____/_____

3. Encontre no diagrama, em sua forma normal, a palavra destacada nas frases e, depois, pinte-as:

A) O <u>lugarejo</u> era bem aconchegante.

B) O <u>vilarejo</u> é um bom lugar de se viver.

C) Tirei uma <u>soneca</u> depois do almoço.

D) A <u>ruela</u> era toda feita de pedras coloridas.

E) O <u>chuvisco</u> foi para esfriar.

F) A <u>casinha</u> de boneca foi presente do papai.

G) A <u>barbicha</u> do vovô é uma graça.

H) A <u>espadinha</u> do soldado é perigosa.

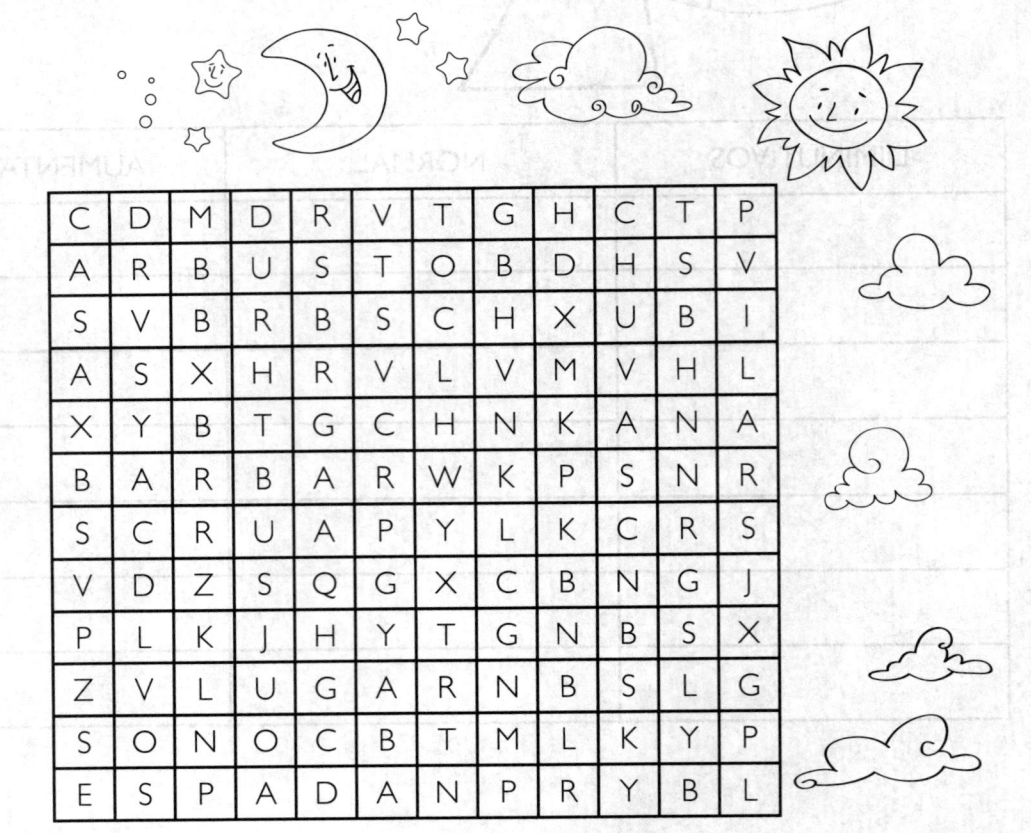

C	D	M	D	R	V	T	G	H	C	T	P
A	R	B	U	S	T	O	B	D	H	S	V
S	V	B	R	B	S	C	H	X	U	B	I
A	S	X	H	R	V	L	V	M	V	H	L
X	Y	B	T	G	C	H	N	K	A	N	A
B	A	R	B	A	R	W	K	P	S	N	R
S	C	R	U	A	P	Y	L	K	C	R	S
V	D	Z	S	Q	G	X	C	B	N	G	J
P	L	K	J	H	Y	T	G	N	B	S	X
Z	V	L	U	G	A	R	N	B	S	L	G
S	O	N	O	C	B	T	M	L	K	Y	P
E	S	P	A	D	A	N	P	R	Y	B	L

3º ano – LÍNGUA PORTUGUESA

4. Complete a cruzadinha com o aumentativo das palavras em destaque:

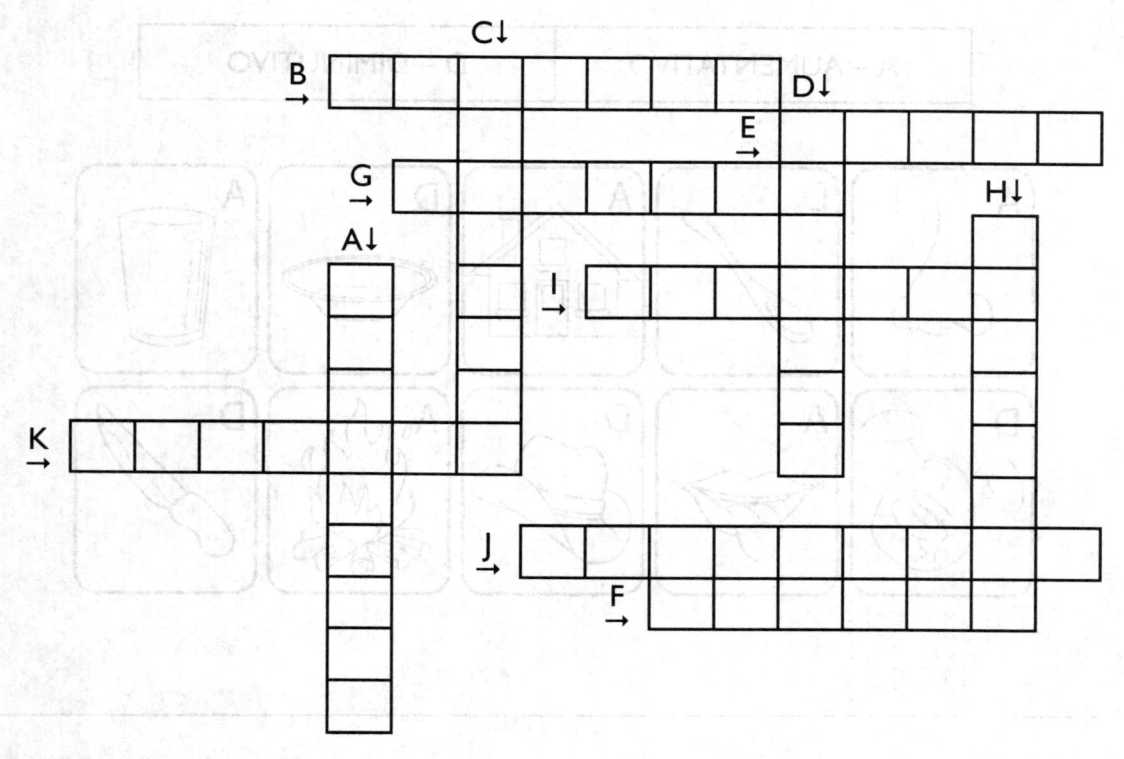

A) O **cão** é bravo.

B) A **boca** é grande.

C) O **chapéu** é do velho guerreiro.

D) O **fogo** espalhou por toda a mata.

E) A **faca** está afiada.

F) O **barco** transportou o pescador.

G) O **nariz** é grande.

H) A **colher** é de sopa.

I) A **casa** é enorme.

J) O **prato** está com sopa.

K) O **copo** é de vidro.

26ª SEMANA

NOME: _____

DATA: ___/___/_____

5. Observe os desenhos e forme frases conforme a legenda:

| A – AUMENTATIVO | D – DIMINUTIVO |

A - nariz
D - colher
A - casa
D - prato
A - copo
D - cachorro
A - boca
D - chapéu
A - fogo
D - faca

_____
_____
_____
_____
_____
_____
_____
_____

3º ano – LÍNGUA PORTUGUESA

NOME: _____

DATA: ____/____/_____

26ª SEMANA

6. Observe a imagem e escreva tudo o que você vê no diminutivo:

_____
_____
_____
_____
_____
_____
_____

3º ano – LÍNGUA PORTUGUESA

26ª SEMANA

NOME: _____

DATA: ____/____/_____

7. Observe a cena e escreva tudo o que você vê no aumentativo:

_____
_____
_____
_____
_____
_____
_____

3º ano – Língua Portuguesa

NOME: _____

DATA: ____/____/_____

26ª SEMANA

8. Produza um texto conforme orientações:

   Pesquise e escreva uma fábula que você gosta. Não se esqueça de escrever a moral da história e fazer uma linda ilustração.

   _____
   _____
   _____
   _____
   _____
   _____
   _____
   _____

3º ano – LÍNGUA PORTUGUESA

SUBSTANTIVO PRIMITIVO E DERIVADO

Substantivo primitivo é aquele que não se origina de outra palavra. Exemplos: pedra, dente, disco.

Substantivo derivado é aquele que se origina de outra palavra. Exemplos: pedreiro, dentista, discoteca.

1. Leia:

O mosquito e o touro

Um mosquito que estava voando a zunir em volta da cabeça de um touro, depois de um longo tempo, pousou em seu chifre, e pedindo perdão pelo incômodo que supostamente lhe causava, disse:

– Se o meu peso incomodar o senhor, por favor, é só dizer e eu irei imediatamente embora...

Ao que lhe respondeu o touro:

– Oh, nenhum incômodo há para mim! Tanto faz você ir ou ficar, e, para falar a verdade, sequer percebi sua presença em meu chifre...

Com frequência, diante de nossos olhos, julgamos-nos o centro das atenções e deveras importante, bem mais do que realmente somos diante dos olhos dos outros, como supôs o mosquito.

Moral da história: quanto menor a mente, maior a presunção...

A) Por que o mosquito, ao pousar no chifre do touro, achou que estava incomodando?

_____

B) Você acha que o touro percebeu a presença do mosquito? Justifique sua resposta.

_____

C) O que mais te incomoda? O zumbido do mosquito ou quando ele pousa em você?

_____

D) Explique a moral da história.

_____

2. Dê o significado das palavras:

A) Zunir:
_____

B) Deveras:
_____

C) Presunção:
_____

3. Forme uma frase utilizando o sinônimo de cada palavra do exercício anterior:

_____

_____

_____

27ª SEMANA

NOME: _____

DATA: ____/____/_____

4. Escreva substantivos derivados de:

A) pedra: _____

B) dente: _____

C) flor: _____

D) leite: _____

E) livro: _____

F) cabelo: _____

5. Escreva os substantivos primitivos:

A) padeiro: _____

B) jardinagem: _____

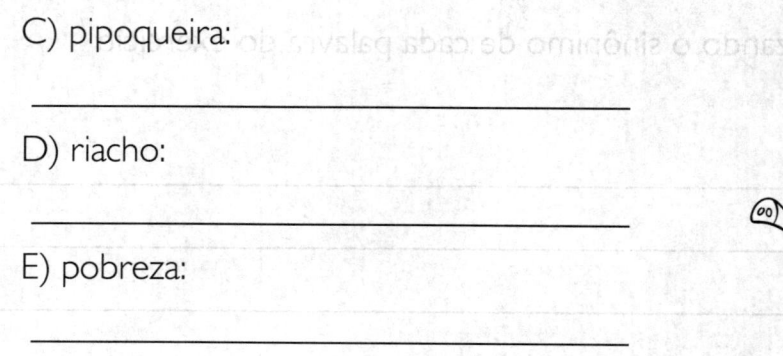

C) pipoqueira: _____

D) riacho: _____

E) pobreza: _____

3º ano – LÍNGUA PORTUGUESA

NOME: _____

DATA: ____/____/_____

27ª SEMANA

6. Leia as frases abaixo e, a seguir, faça o que se pede:

A) O **cafezal** é uma plantação de **café**.

B) O **relojoeiro** conserta **relógios**.

C) Comprei um ramalhete de **flores** na **floricultura**.

D) O **religioso** é uma **pessoa** que serve a Deus.

E) Adoro comer os **pastéis** da **pastelaria** da esquina.

F) O **dentista** arrancou o **dente** de leite da criança.

G) Comprei **jornal** do **jornaleiro**.

H) A **diarista** cobra R$ 100,00 pelo **dia** de trabalho.

- Circule de vermelho os substantivos primitivos;
- Circule de azul os substantivos derivados;
- Preencha o quadro de acordo com as palavras destacadas nas frases:

SUBSTANTIVO PRIMITIVO	SUBSTANTIVO DERIVADO

3º ano – Língua Portuguesa

27ª SEMANA

NOME: _____

DATA: ___/___/_____

7. Escreva um substantivo derivado para cada figura.

_____   _____   _____

_____   _____

8. Pesquise:

A) Dois objetos escolares que sejam substantivos primitivos.
_____
_____

B) Quatro coisas que fazem parte da sua casa que sejam substantivos derivados.
_____
_____
_____

C) Dois acessórios femininos que sejam substantivos derivados.
_____
_____

D) Dois acessórios masculinos que sejam substantivos primitivos.
_____
_____

3º ano – LÍNGUA PORTUGUESA

NOME: _____

DATA: ____/____/_____

27ª SEMANA

9. Preencha a cruzadinha com um substantivo derivado.

A) disco _____
B) milho _____
C) açúcar _____
D) sopa _____
E) índio _____
F) sapato _____
G) peixe _____

3º ano – Língua Portuguesa

27ª SEMANA

NOME: _____

DATA: ___/___/_____

10. Escreva o substantivo derivado de cada substantivo primitivo:

(ABOCANHAR) (JARDINAGEM) (TERREMOTO) (LIVREIRO) (PORTARIA) (JORNALISTA)

(COQUEIRAL) (MAREMOTO) (CHAVEIRO) (PAPELETA) (ROSEIRA) (VIDRILHO)

VIDRO	
JORNAL	
PAPEL	
ROSA	
BOCA	
PORTA	
MAR	
COCO	
LIVRO	
TERRA	
CHAVE	
JARDIM	

3º ano – LÍNGUA PORTUGUESA

PÁRAGRAFO

Os parágrafos são trechos do texto. Começamos um parágrafo quando damos espaços antes de escrever a primeira letra.

Iniciamos um novo parágrafo quando mudamos o assunto.

No texto, deve existir uma relação entre os assuntos e entre os parágrafos.

1. Leia a fábula:

A reunião geral dos ratos

Uma vez, os ratos viviam com medo de um gato. Resolveram fazer uma reunião para encontrar um jeito de acabar com aquele eterno transtorno. No fim, um rato jovem levantou-se e deu a ideia de pendurar uma sineta no pescoço do gato. Assim, sempre que o gato chegasse perto, eles ouviriam a sineta e poderiam fugir correndo.

Todo mundo bateu palmas, o problema estava resolvido. Vendo aquilo, um rato velho, que tinha ficado o tempo todo calado, levantou-se de seu canto.

O rato falou que o plano era muito inteligente, que, com toda certeza, as preocupações deles tinham chegado ao fim. Só faltava uma coisa: quem iria pendurar a sineta no pescoço do gato?

Moral da história: inventar é uma coisa, fazer é outra.

28ª SEMANA

NOME: _____

DATA: ___/___/_____

A) Quantos parágrafos tem o texto?
_____

B) Pinte a primeira palavra de cada parágrafo.

C) Qual é o assunto do texto?
_____

D) Quais foram os motivos que levaram os ratos a se reunirem?
_____
_____

E) Qual foi a ideia apresentada pelo rato jovem?
_____
_____

F) Como foi a reação dos ratos?
_____
_____

G) Por que o rato velho e sábio acabou com a alegria de todos os ratinhos?
_____
_____

H) A que conclusão chegamos ao ler a fábula?
_____
_____

I) Se você fosse um rato, qual ideia daria para solucionar o problema?
_____
_____

3º ano – LÍNGUA PORTUGUESA

NOME: _____

DATA: ____/____/_____

28ª SEMANA

2. Substitua as palavras em destaque por outras do mesmo significado:

A) Os ratos viviam com um **enorme** medo do gato.
_____

B) O gato não dava **sossego** para os ratos.
_____

C) O mais **resoluto** de todos colocou um ponto-final.
_____

D) Aquela situação os **mantinha** em permanente **sobressalto**.
_____

E) Muitos foram os planos discutidos e deixados de lado por serem **ineficientes** ou de difícil **execução**.
_____

F) Os ratos já demonstravam certa **exaustão**.
_____

G) Um rato **jovem** e com cara de **esperto**.
_____

H) Toda vez que aproximasse, a sineta o **denunciaria**.
_____

I) A sineta permitiria que ficassem **atentos**.
_____

J) Bateram palmas de **entusiasmo**.
_____

K) Os ratos **suspiraram** aliviados.
_____

3º ano – LÍNGUA PORTUGUESA

28ª SEMANA

NOME: _____

DATA: ____/____/_____

3. Escreva substantivos derivados para os seguintes substantivos primitivos:

A) Ratos
_____

B) Pescoço
_____

C) Velho
_____

D) Plano
_____

E) Tempo
_____

F) Qual o único substantivo derivado que aparece no texto?
_____

G) Qual é o substantivo primitivo dele?
_____

H) Forme uma frase com o substantivo sino e uma com o substantivo sineta.
_____

4. Separe as palavras em sílabas e as classifique em oxítona, paroxítona ou proparoxítona:

PALAVRA	SÍLABAS	CLASSIFICAÇÃO
RATINHO		
RATÃO		
VELHICE		
PLANISFÉRIO		
PESCOÇÃO		
PARÁGRAFOS		

3º ano — LÍNGUA PORTUGUESA

NOME: _____

DATA: ____/____/_____

28ª SEMANA

5. Classifique as frases em imperativas, afirmativas, negativas, exclamativas ou interrogativas.

   A) Os ratos fizeram uma reunião.
   _____

   B) O plano não deu certo.
   _____

   C) Que ótima ideia!
   _____

   D) Como o problema foi resolvido?
   _____

   E) Pare! Não quero mais saber de discussão.
   _____

6. Passe as frases para o feminino.

   A) Os ratos fizeram uma reunião.
   _____

   B) O gato era uma ameaça para os ratos.
   _____

   C) O rato mais jovem era esperto.
   _____

   D) O rato mais velho era sábio.
   _____

   E) Os ratos e os gatos não combinam.
   _____

   F) Os gatos comem os ratos.
   _____

3º ano – **LÍNGUA PORTUGUESA**

28ª SEMANA

NOME: _____

DATA: ____/____/_____

7. Reconte e reescreva a reunião dos ratos com suas palavras. Destaque sempre os parágrafos com lápis de cor.

_____
_____
_____
_____
_____
_____
_____
_____

3º ano – LÍNGUA PORTUGUESA

ADJETIVOS

Adjetivos são palavras que dão características aos substantivos, ou seja, indicam suas qualidades e seus estados.

Exemplos: menina → bonita   elegante   cheirosa
bola → vermelha   grande   pequena

1. Leia a fábula:

A raposa e a cegonha

Um belo dia, a comadre cegonha foi jantar na toca da raposa.

Bate-papo daqui, fofocas dali, as comadres riam muito.

A raposa serviu uma suculenta sopa de carne em dois pratos rasos.

A raposa lambia os beiços e comeu tudo num zás-trás.

A cegonha mal pôde molhar a ponta do bico, pois o prato era muito raso.

Comadre cegonha, muito educada, não se queixou e falou:

— Domingo, darei um almoço para uns parentes em minha casa e gostaria da presença de tão gentil amiga.

— Ótimo! — respondeu a raposa. — Espero que tenha gostado do jantar.

Despediram-se com beijinhos para cá e para lá.

No dia combinado, a cegonha serviu uma sopa gostosa num vaso comprido, fino e cheio até a metade.

A raposa não pôde comer nada, pois seu focinho não entrava no vaso. A cegonha comia, comia e comia.

A raposa não pôde reclamar de nada e foi para casa com fome, pensando no que tinha acontecido.

Fábulas de Esopo.

29ª SEMANA

NOME: _____

DATA: ____/____/_____

A) Quais são os personagens da fábula?
_____

B) O que você acha que aconteceu na casa da raposa? Você concorda com a atitude dela?
_____
_____

C) O que aconteceu na casa da cegonha? Por quê?
_____
_____

D) Como reagiu a raposa depois do jantar na casa da cegonha?
_____
_____

E) O que você achou do comportamento da cegonha?
_____

F) Qual é a moral da história?
_____

G) Faça um desenho ilustrando a história.

166   3º ano – Língua Portuguesa

NOME: _____

DATA: ____/____/_____

29ª SEMANA

2. Escreva as características conforme as fábulas:

   A) Dia: _____
   B) Sopa: _____
   C) Pratos: _____
   D) Cegonha: _____
   E) Amiga: _____
   F) Vaso: _____

3. Defina adjetivo.
   _____
   _____

4. Dê uma expressão para a menina, pinte-a e escreva quatro adjetivos para ela, um em cada balão.

3º ano – LÍNGUA PORTUGUESA

29ª SEMANA

NOME: _____

DATA: ____/____/_____

5. Forme frases conforme os desenhos usando todos os adjetivos de cada grupo:

CONFORTÁVEL	CURTO	ALTA	VELOZ
ESPAÇOSA	PRETO	MAGRA	ECONÔMICO
NOVA	CACHEADO	LOIRA	NOVO
FLORIDA	MACIO	SORRIDENTE	SEGURO
ASSEADA	LIMPO	INTELIGENTE	CONFORTÁVEL
CASA	**CABELO**	**MENINA**	**CARRO**

168 3º ano – LÍNGUA PORTUGUESA

NOME: _____

DATA: ____/____/_____

29ª SEMANA

6. Reescreva as frases em ordem, acrescentando um adjetivo para cada palavra destacada.

PRIMOS MEUS. COMIGO VIAJARAM

_____
_____
_____

O **PEDREIRO** PREGO. PÉ O MACHUCOM COM UM

_____
_____
_____

PRESIDENTE ELEITO FOI DIRETO. VOTO PELO O

_____
_____
_____

ESTÃO **PRATOS** NA OS PIA.

_____
_____
_____

3º ano – Língua Portuguesa

29ª SEMANA

NOME: _____

DATA: ____/____/_____

7. Observe o desenho e escreva cinco frases sobre ele. Use adjetivos em cada frase.

A) _____
_____
B) _____
_____
C) _____
_____
D) _____
_____
E) _____
_____

- Agora, circule os adjetivos com lápis azul.

170   3º ano – LÍNGUA PORTUGUESA

NOME: _____

DATA: ___/___/_____

29ª SEMANA

8. Escreva um adjetivo para cada substantivo:

faxineira	bailarina	cozinheira
cantor	ciclista	carteiro
anjinho	astronauta	indígena

3º ano – LÍNGUA PORTUGUESA

29ª SEMANA

NOME: _____

DATA: ____/____/_____

9. Transforme os substantivos em adjetivos:

SUBSTANTIVO	ADJETIVO
HABILIDADE	
CHARME	
ORGULHO	
PREGUIÇA	
MEDO	
PERIGO	
FAMA	
GULA	
AMOR	
VAIDADE	
BONDADE	
CARINHO	
CAPRICHO	
TEIMOSIA	
CORAGEM	

10. Dê três adjetivos para:

A) Sua melhor ou seu melhor amigo.

_____
_____

B) Sua casa.

_____
_____

3º ano — LÍNGUA PORTUGUESA

NOME: _____

DATA: ____/____/_____

29ª SEMANA

11. Pinte conforme a legenda:

Amarelo: substantivo coletivo
Verde: adjetivos
Vermelho: substantivos femininos
Azul: substantivos masculinos

P	E	N	T	E	G	F	V	R	M	F	J	B	Q
D	H	O	N	E	S	T	O	D	H	D	H	O	Y
R	V	B	R	T	V	E	L	A	S	B	M	N	X
F	S	J	H	U	S	L	V	M	L	H	B	D	K
B	A	N	D	O	J	T	F	G	N	W	C	O	C
P	C	O	R	A	J	O	S	O	T	N	F	S	W
O	R	G	J	R	F	P	M	H	J	N	R	O	K
R	D	R	S	F	G	S	A	P	A	T	O	M	D
T	V	M	H	M	A	N	A	D	A	B	X	H	L
A	C	R	Z	W	C	A	B	E	L	O	P	E	W
N	X	H	U	F	L	O	R	M	R	R	Y	L	X
M	N	R	É	S	T	I	A	L	É	J	Z	E	V

ADJETIVOS	SUBSTANTIVOS FEMININOS	SUBSTANTIVOS MASCULINOS	SUBSTANTIVO COLETIVO

3º ano – LÍNGUA PORTUGUESA

SUBSTANTIVOS CONCRETO E ABSTRATO

Substantivos concretos são aqueles que designam coisas reais, que existem por si ou que imaginamos como real.

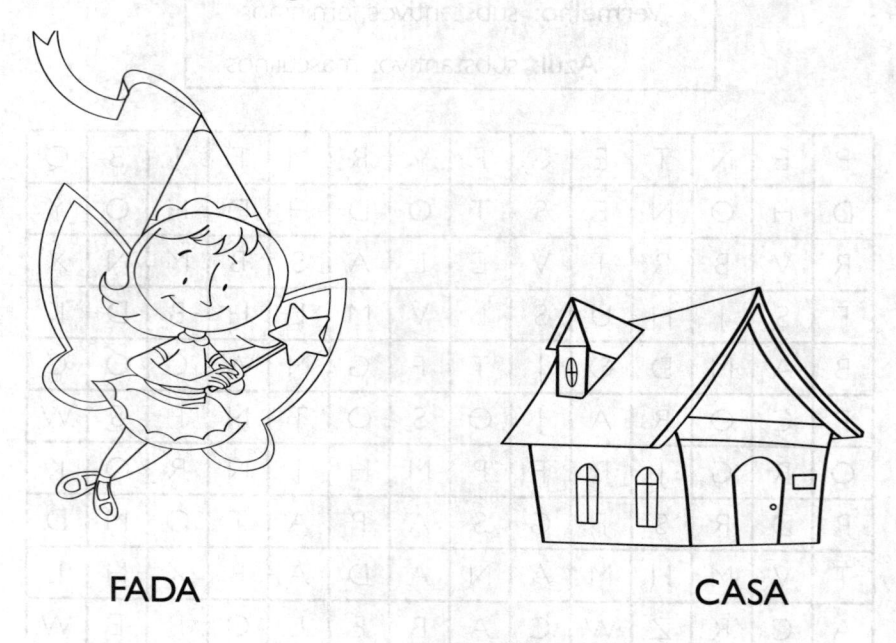

FADA   CASA

Substantivos abstratos são aqueles que designam coisas que não existem por si mesmos. Eles estão nas pessoas, nas coisas e nos animais. Exemplos: beleza, educação, amor, alegria, vida, morte.

NOME: _____

DATA: ___/___/_____

30ª SEMANA

Conheça alguns substantivos abstratos:

ADORAÇÃO	FOME
AGRADECIMENTO	FORÇA
ALEGRIA	FRAQUEZA
ALTURA	FRIO
AMARGURA	GLAUCOMA
AMIZADE	INOCÊNCIA
AMOR	JUSTIÇA
APLICAÇÃO	LARGURA
ATENÇÃO	ÓDIO
BELEZA	ORGULHO
BONDADE	PALIDEZ
CALMA	PERMISSÃO
CALOR	PESSIMISMO
CASAMENTO	PREGUIÇA
DESPREZO	PRUDÊNCIA
DOÇURA	RESOLUÇÃO
DOR	RIQUEZA
ENCONTRO	SABEDORIA
ESFORÇO	SATISFAÇÃO
FIRMEZA	SONHO
	TRISTEZA

3º ano – LÍNGUA PORTUGUESA

30ª SEMANA

NOME: _____

DATA: ___/___/_____

1. Classifique o substantivo destacado em concreto ou abstrato:

   A) **Priscila** é muito calma.
   _____

   B) O **professor** tem muita força.
   _____

   C) O **vento** bateu a porta do quarto.
   _____

   D) O **casamento** foi maravilhoso!
   _____

   E) O **quadro** está com a matéria do dia.
   _____

   F) **Ninguém** quer sentir dor.
   _____

2. Observe as expressões e escreva um substantivo abstrato:

   _____ _____ _____ _____

3º ano — LÍNGUA PORTUGUESA

NOME: _____

DATA: ____/____/_____

30ª SEMANA

3. Circule os substantivos concretos com lápis azul nas frases e, depois, complete o diagrama.

A) A bondade das pessoas é infinita.

B) Não podemos nos esquecer das amizades sinceras.

C) A tristeza aparece nos momentos ruins.

D) A alegria toma conta de todos na hora dos parabéns.

E) O amor está no ar!

F) A raiva é um sentimento ruim.

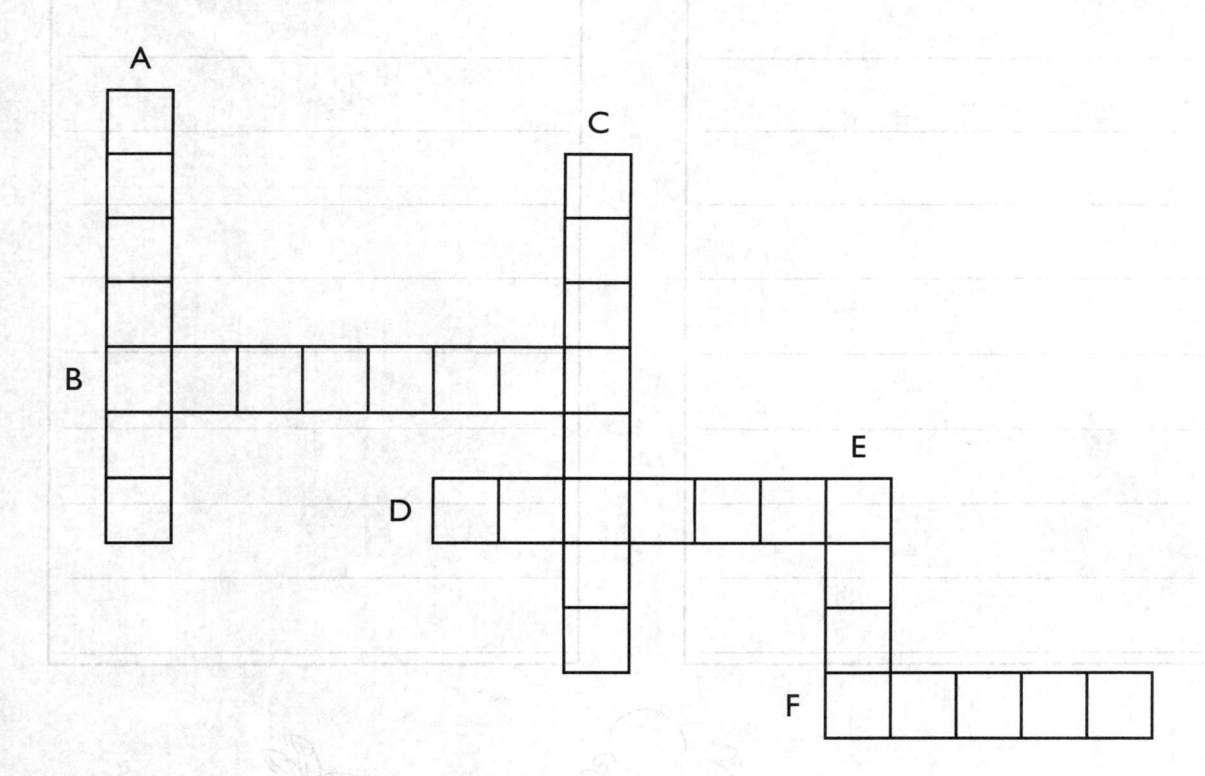

3º ano – LÍNGUA PORTUGUESA

NOME: _____

DATA: ____/____/_____

30ª SEMANA

4. Leia os substantivos do quadro e classifique-os em abstrato ou concreto.

FOME	COMIDA	FORÇA	LÁPIS	AMOR	CARRO
ATENÇÃO	ALUNO	BELEZA	CASA	BONDADE	
CADERNO	CALOR	CALMA	MESA	ANEL	

ABSTRATOS	CONCRETOS

178   3º ano – LÍNGUA PORTUGUESA

NOME: _____

DATA: ____/____/_____

30ª SEMANA

5. Reescreva as frases substituindo a palavra em destaque por um substantivo abstrato.

   A) A **bela** menina é de encantar.
   _____

   B) Ele sempre foi muito **triste**.
   _____

   C) **O rico e o pobre**.
   _____

   D) A **moça** passou.
   _____

   E) A menina é um **doce**.
   _____

6. Forme frases com as palavras:

   A) Ciúme.
   _____

   B) Casamento.
   _____

   C) Solidão.
   _____

   D) Medo.
   _____

   E) Pensamento.
   _____

   F) Saúde.
   _____

3º ano — LÍNGUA PORTUGUESA

30ª SEMANA

NOME: _____

DATA: ___/___/_____

7. Encontre os 10 substantivos abstratos no diagrama:

DOR	FRIO	VIDA	CORAGEM	NOBREZA
TRISTEZA	MALDADE	PACIÊNCIA	CARINHO	RIQUEZA

D	R	I	Q	U	E	Z	A	C	M	J	J	X	N
A	H	V	M	V	L	J	N	V	L	A	Y	P	O
W	V	A	Z	P	C	A	R	I	N	H	O	F	B
T	S	J	C	M	V	L	V	D	C	U	A	V	R
S	T	R	I	S	T	E	Z	A	N	H	N	X	E
N	B	S	V	T	V	W	L	K	T	N	F	C	Z
O	K	F	R	I	O	L	T	A	D	O	R	N	A
G	D	B	L	X	L	U	Z	C	S	G	V	K	Q
K	V	P	A	C	I	Ê	N	C	I	A	A	L	V
M	A	L	D	A	D	E	T	Y	R	K	P	K	W
N	C	C	T	B	G	C	O	R	A	G	E	M	X
M	A	B	S	V	N	T	M	L	B	J	V	L	V

180   3º ano – LÍNGUA PORTUGUESA

NOME: _____

DATA: ____/____/_____

30ª SEMANA

8. Observe as cenas e escreva um texto. Não esqueça de dar um título a ele!

_____

_____
_____
_____
_____
_____
_____
_____
_____

30ª SEMANA

NOME: _____

DATA: ____/____/_____

ADJETIVOS PÁTRIOS

Adjetivos pátrios referem-se à origem de pessoas, objetos, animais, entre outros. Essa classificação leva em consideração o país, o estado, a cidade, a região, enfim, a localidade de nascimento de seres ou de criação coisas.

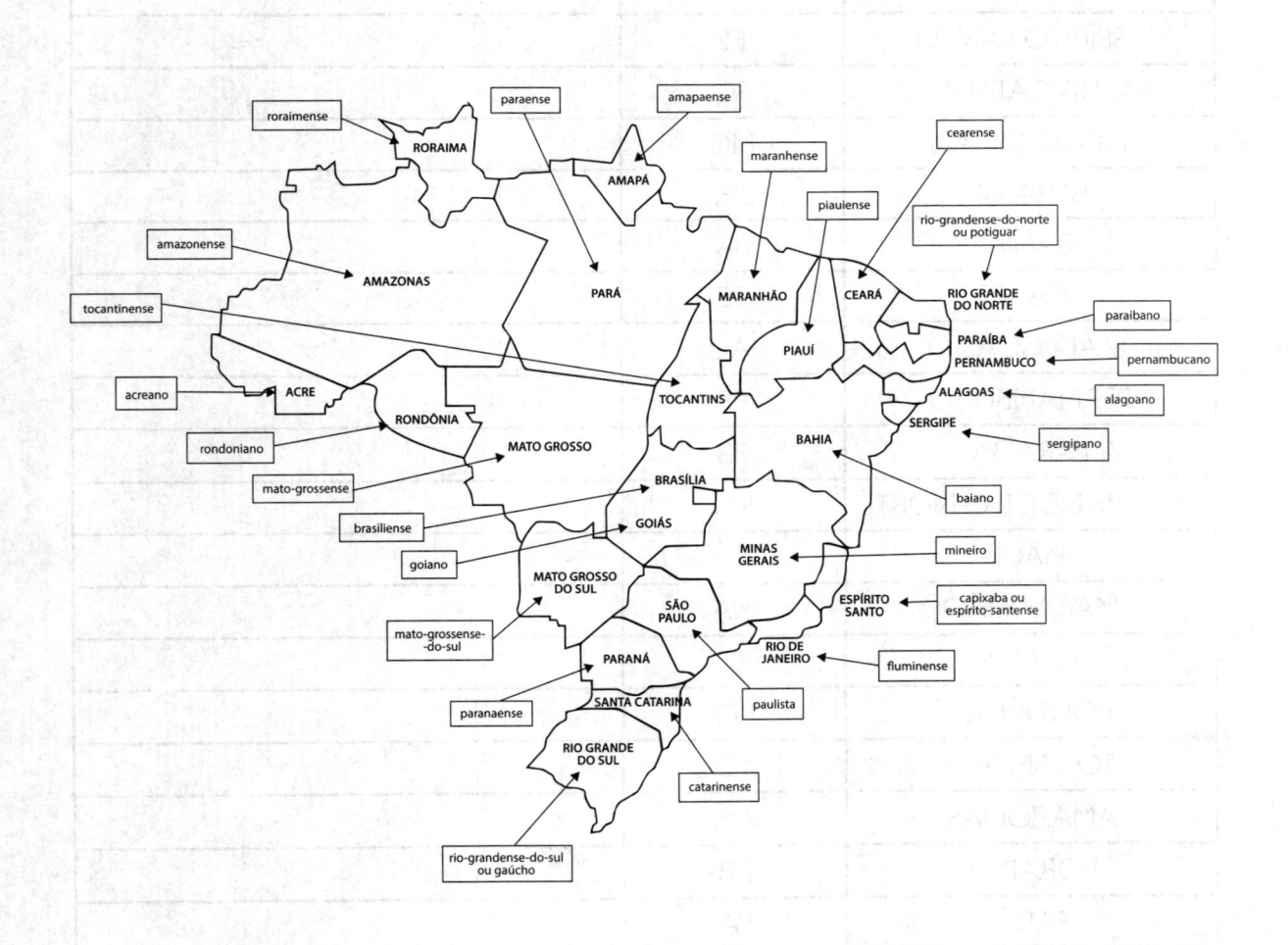

Estado	Adjetivo pátrio
RORAIMA	roraimense
AMAPÁ	amapaense
PARÁ	paraense
MARANHÃO	maranhense
PIAUÍ	piauiense
CEARÁ	cearense
RIO GRANDE DO NORTE	rio-grandense-do-norte ou potiguar
PARAÍBA	paraibano
PERNAMBUCO	pernambucano
ALAGOAS	alagoano
SERGIPE	sergipano
BAHIA	baiano
AMAZONAS	amazonense
TOCANTINS	tocantinense
ACRE	acreano
RONDÔNIA	rondoniano
MATO GROSSO	mato-grossense
BRASÍLIA	brasiliense
GOIÁS	goiano
MINAS GERAIS	mineiro
ESPÍRITO SANTO	capixaba ou espírito-santense
MATO GROSSO DO SUL	mato-grossense-do-sul
SÃO PAULO	paulista
RIO DE JANEIRO	fluminense
PARANÁ	paranaense
SANTA CATARINA	catarinense
RIO GRANDE DO SUL	rio-grandense-do-sul ou gaúcho

3º ano – Língua Portuguesa

31ª SEMANA

NOME: _____

DATA: ___/___/_____

ESTADO	SIGLA	ADJETIVO PÁTRIO
RIO DE JANEIRO	RJ	
MATO GROSSO DO SUL	MS	
GOIÁS	GO	
SÃO PAULO	SP	
RIO GRANDE DO SUL	RS	
MATO GROSSO	MT	
ESPÍRITO SANTO	ES	
SANTA CATARINA	SC	
MINAS GERAIS	MG	
PARANÁ	PR	
BAHIA	BA	
SERGIPE	SE	
ALAGOAS	AL	
PERNAMBUCO	PE	
PARAÍBA	PB	
RIO GRANDE DO NORTE	RN	
PIAUÍ	PI	
MARANHÃO	MA	
CEARÁ	CE	
RONDÔNIA	RO	
TOCANTINS	TO	
AMAZONAS	AM	
RORAIMA	RR	
PARÁ	PA	
AMAPÁ	AP	
ACRE	AC	

3º ano — LÍNGUA PORTUGUESA

NOME: _____

DATA: ____/____/_____

31ª SEMANA

2. Complete o diagrama de acordo com o adjetivo pátrio:

A) Quem nasce no Brasil é _____.
B) Quem nasce no Paraná é _____.
C) Quem nasce no Rio de Janeiro é _____.
D) Quem nasce em São Paulo é _____.
E) Quem nasce na Holanda é _____.
F) Quem nasce em Belo Horizonte é _____.
G) Quem nasce em Pernambuco é _____.
H) Quem nasce no Japão é _____.
I) Quem nasce em Minas Gerais é _____.
J) Quem nasce na Bahia é _____.

3º ano – LÍNGUA PORTUGUESA

185

31ª SEMANA

NOME: _____

DATA: ____/____/_____

3. Numere a 2ª coluna de acordo com a 1ª coluna:

1	AUSTRÁLIA		BRASILEIRO
2	ESPANHA		AUSTRALIANO
3	GRÉCIA		CUBANO
4	BRASIL		ITALIANO
5	ANGOLA		CHINÊS
6	HOLANDA		INGLÊS
7	ALEMANHA		ALEMÃO
8	SUÉCIA		HOLANDÊS
9	CHINA		ESPANHOL
10	CUBA		JAPONÊS
11	INGLATERRA		GREGO
12	ITÁLIA		ANGOLANO
13	JAPÃO		SUECO

3º ano — LÍNGUA PORTUGUESA

NOME: _____

DATA: ____/____/_____

31ª SEMANA

4. Leia a anedota:

— O idioma francês é o mais interessante e útil – dizia uma.

— Que nada! Acho que é o idioma inglês – dizia outra.

— Mas o que vem a ser idioma? – perguntou uma outra.

— Idioma quer dizer língua.

— É?! Então fiquem sabendo que eu gosto muito é de idioma de vaca com cebolas e batatas.

A) Escreva os adjetivos pátrios indicando o local a que pertencem.
_____
_____

B) O que deu característica de humor na anedota?
_____
_____

31ª SEMANA

NOME: _____

DATA: ____/____/_____

5. Observe a cena e crie um texto com adjetivos pátrios.

Título: Todos somos donos da Terra.

TODOS SOMOS DONOS DA TERRA

_____
_____
_____
_____
_____
_____

3º ano – LÍNGUA PORTUGUESA

31ª SEMANA

NOME: _____

DATA: ___/___/_____

_____
_____
_____
_____
_____
_____
_____
_____
_____
_____
_____
_____
_____
_____
_____
_____
_____
_____
_____
_____
_____
_____
_____
_____
_____
_____
_____
_____
_____
_____

GRAU DO ADJETIVO

Marte mais próximo da Terra

No ano 2003, o "Planeta Vermelho", como é conhecido Marte, ficou mais próximo da Terra e despertou a curiosidade em milhares de pessoas do mundo todo. Astrônomos profissionais e amadores queriam observar Marte, que ficou milhões de quilômetros mais próximo da Terra. Normalmente, o planeta Marte é observado a 225 milhões de quilômetros da Terra, mas naquele ano a distância diminuiu para 56 milhões de quilômetros. Tudo bem que não deu para notar muita diferença a olho nu, mas, quem utilizou telescópio, pôde ver detalhes do planeta.

Interessante que a última vez que Marte esteve tão perto da Terra foi há 60 mil anos, quando nossos ancestrais ainda viviam em cavernas.

Para ver Marte de perto novamente, é necessário esperar um bom tempo, já que voltará para perto de nós no ano de 2287.

1. Responda:

   A) A que planeta se refere a expressão: "Planeta Vermelho"?
   _____

   B) Quando Marte ficará de novo mais perto do planeta Terra?
   _____

   C) Há quanto tempo isso não acontecia?
   _____

   D) Quantos planetas fazem parte do Sistema Solar?
   _____

NOME: _____

DATA: ____/____/_____

32ª SEMANA

E) Vivemos em qual planeta?
_____

F) Qual o planeta mais próximo do Sol?
_____

G) Qual o mais distante?
_____

H) A Terra está entre quais planetas?
_____

GRAU DO ADJETIVO

Os adjetivos possuem grau para indicar a intensidade da qualidade do ser. São eles:

A) **Grau comparativo**: compara-se a mesma característica dada a dois ou mais seres ou duas ou mais características atribuídas ao mesmo ser. Ele pode ser:

• **Comparativo de igualdade**. Pode usar: como, quanto ou quão. Exemplo: Ela é tão alta quanto você.

• **Comparativo de superioridade**. Pode usar: mais do que ou mais que. Exemplo: Karina é mais feliz que Aline.

• **Comparativo de inferioridade**. Exemplo: Júlia é menos passiva que eu.

B) **Grau superlativo**: usado para intensificar características dos substantivos a que se refere. Pode ser:

• **Relativo de superioridade**. Exemplo: Regina é a mais carinhosa de todas as filhas.

NOME: _____

DATA: ____/____/_____

32ª SEMANA

- **Relativo de inferioridade.** Exemplo: Regina é <u>a menos</u> carinhosa <u>de todas</u> as filhas.

- **Absoluto sintético.** Vem acompanhado de um sufixo. Exemplo: Regina é <u>carinhosíssima</u>.

- **Absoluto analítico.** Vem acompanhado de um advérbio. Exemplo: Regina é <u>muito carinhosa</u>.

CONHEÇA ALGUNS ADJETIVOS ABSOLUTOS SINTÉTICOS:

Benéfico	-	Beneficentíssimo	Livre	-	Libérrimo
Bom	-	Boníssimo ou Ótimo	Magnífico	-	Magnificentíssimo
Célebre	-	Celebérrimo	Magro	-	Macérrimo ou Magríssimo
Comum	-	Comuníssimo	Manso	-	Mansuetíssimo
Cruel	-	Crudelíssimo	Mau	-	Péssimo
Difícil	-	Dificílimo	Nobre	-	Nobilíssimo
Doce	-	Dulcíssimo	Pequeno	-	Mínimo
Fácil	-	Facílimo	Pobre	-	Paupérrimo ou Pobríssimo
Fiel	-	Fidelíssimo	Preguiçoso	-	Pigérrimo
Frágil	-	Fragílimo	Próspero	-	Prospérrimo
Frio	-	Friíssimo ou Frigidíssimo	Sábio	-	Sapientíssimo
Humilde	-	Humílimo	Sagrado	-	Sacratíssimo
Jovem		Juveníssimo			

2. Sublinhe o adjetivo e classifique-o quanto ao seu grau:

A) Bianca é tão alegre quanto Bruna.

_____

NOME: _____

DATA: ___/___/_____

32ª SEMANA

B) A lebre é mais rápida que a tartaruga.

_____

C) O cacaueiro é menor que a laranjeira.

_____

D) Minha mãe é mais alta que eu.

_____

E) O carro é menos veloz que o avião.

_____

F) Maria é tão ansiosa quanto Alice.

_____

3. Escreva as palavras que podem ser usadas para cada comparativo:

COMPARATIVO DE IGUALDADE

COMPARATIVO DE SUPERIORIDADE

COMPARATIVO DE INFERIORIDADE

3º ano — LÍNGUA PORTUGUESA

32ª SEMANA

NOME: _____

DATA: ____/____/_____

4. Complete os quadros:

ADJETIVOS	COMPARATIVO DE SUPERIORIDADE SINTÉTICO
BOM	
MAU	
GRANDE	
PEQUENO	
ALTO	
BAIXO	

ADJETIVOS	COMPARATIVO ABSOLUTO SINTÉTICO
BOM	
MAU	
GRANDE	
PEQUENO	
ALTO	
BAIXO	

NOME: _____

DATA: ___/___/_____

32ª SEMANA

5. Marque corretamente:

A) Sônia é mais esperta que Paulo.

B) O livro é tão grande quanto a revista.

C) O cão é menos arisco que o gato.

D) O tigre é tão selvagem quanto o leão.

E) O palhaço é mais engraçado que o mágico.

F) Léo é menos comilão que Gustavo.

	Igualdade	Superioridade	Inferioridade
A)	○	○	○
B)	○	○	○
C)	○	○	○
D)	○	○	○
E)	○	○	○
F)	○	○	○

3º ano — LÍNGUA PORTUGUESA

32ª SEMANA

NOME: _____

DATA: ____/____/_____

6. Encontre no diagrama de palavras o grau superlativo das palavras em destaque e reescreva as frases:

A) Marcos é **muito sensível**.
_____

B) Fernando é **muito bom** em matemática.
_____

C) O salário é **muito pequeno**.
_____

D) O salgado é **muito ruim** para a saúde.
_____

E) Pedro é **muito amigo**.
_____

C	W	Z	A	O	R	P	T	A	E	P	P	D	R	W
B	Z	V	F	E	I	Z	S	P	É	S	S	I	M	O
V	Z	W	A	H	B	W	O	L	A	C	Q	Z	P	R
S	Q	M	Í	N	I	M	O	Q	G	S	X	U	X	W
C	Y	V	C	Q	L	A	P	W	K	D	L	Q	K	Ó
V	W	S	O	O	Í	V	Z	I	J	L	Q	N	Z	T
V	T	W	A	T	S	A	D	F	E	S	P	V	J	I
A	M	I	C	Í	S	S	I	M	O	Y	A	J	L	M
T	K	M	N	B	N	K	H	R	D	Z	Q	X	W	O
G	V	A	O	H	F	Y	V	A	F	E	J	U	A	
G	A	R	R	Y	O	X	K	D	Z	A	T	S	R	P
S	E	N	S	I	B	I	L	Í	S	S	I	M	O	N
P	D	I	J	H	H	F	T	J	N	L	F	H	A	L
G	D	Z	L	F	O	Y	L	P	F	B	W	E	J	B
M	R	V	X	T	R	S	D	Q	K	Q	L	K	N	L

3º ano — LÍNGUA PORTUGUESA

NOME: _____

DATA: ___/___/_____

33ª SEMANA

AINDA SOBRE O GRAU DO ADJETIVO

1. Observe a figura e faça o que se pede:

A) Uma frase com adjetivo comparativo de igualdade.
_____

B) Uma frase com adjetivo comparativo de superioridade.
_____

C) Uma frase com adjetivo comparativo de inferioridade.
_____

3º ano – LÍNGUA PORTUGUESA

NOME: _____

DATA: ____/____/_____

33ª SEMANA

2. Reescreva as frases mudando os adjetivos em destaque para o grau superlativo absoluto sintético.

   A) O jogo estava **difícil**.
   _____

   B) O cantor é **engraçado** e **humilde**.
   _____

   C) A treinadora é **magra** e **sensível**.
   _____

   D) Papai é **amável** e **divertido**.
   _____

3. Transforme os adjetivos:

   A) Terribilíssimo.
   _____

   B) Calmíssimo.
   _____

   C) Fraquíssimo.
   _____

   D) Pouquíssimo.
   _____

   E) Belíssimo.
   _____

   F) Agilíssimo.
   _____

NOME: _____

DATA: ____/____/_____

33ª SEMANA

4. Escreva um adjetivo no superlativo sintético em cada retângulo caracterizando o papai.

Agora, escolha dois adjetivos e forme frases:

_____
_____
_____

3º ano — Língua Portuguesa

33ª SEMANA

NOME: _____

DATA: ___/___/_____

5. Reescreva a fábula, substituindo as palavras em destaque pelo grau do adjetivo absoluto sintético.

O leão e o ratinho

Um leão, **cansado** de tanto caçar, dormia **espichado** debaixo da sombra de uma **boa** árvore. Uns ratinhos que passavam por cima dele o acordaram. Todos fugiram, menos um, que o leão prendeu debaixo da **grande** pata. O ratinho implorou tanto para que o leão não o esmagasse que o **bom** leão deixou que ele fosse embora.

Tempo depois, o leão ficou preso na **forte** rede de uns caçadores. Fazia a **bela** floresta tremer com seus urros de raiva. Nisso apareceu o **fiel** ratinho, e, com seus dentes **afiados**, roeu as cordas e soltou o leão.

Fábulas de Esopo.

NOME: _____

DATA: ____/____/_____

33ª SEMANA

6. Crie um texto conforme as figuras, usando frases no grau de igualdade, superioridade e inferioridade.

_____
_____
_____
_____
_____
_____
_____
_____
_____
_____

3º ano – LÍNGUA PORTUGUESA

PRONOME PESSOAL DO CASO RETO

O velho, o menino e o burro

O velho queria vender o burro.

Então, chamou o menino, pediu-lhe que trouxesse o burro e partiram os três rumo à cidade.

O velho e o menino foram andando na frente; o burro atrás.

Ao vê-los, um viajante montado em um belo cavalo alazão não se conteve e disse:

— Que absurdo! Um velho a andar a pé e um animal folgado com o lombo vazio. Aposto que esse burro deve ser ruim demais e não aguenta carregar peso.

Ao ouvir aquelas palavras, o velho ordenou ao menino:

— Eu vou montar no burro e você nos puxa. Assim, vamos calar a boca de todo mundo. E lá se foram eles.

Mas, quando atravessaram um rio, ouviram o comentário de um pescador:

— Se eu contar, vão achar que é mentira de pescador... Um marmanjo montado em um burro e um menininho a pé. Que malvadeza!

O velho, que não queria ficar com a fama de malvado, ordenou no mesmo instante que o menino subisse, também, no burro. E lá se foram eles.

Na estrada da cidade, encontraram Manoel, o amolador de facas, que, ao vê-los, falou admirado:

— Pelos cabos de todas as facas! Como é que alguém pode querer vender um animal deixando-o cansado desse jeito? Bicho com a língua de fora ninguém compra... E, se compra, paga bem menos do que vale.

Ao ouvir aquelas palavras, o velho apeou no mesmo instante do animal e seguiu o resto do trajeto puxando o burro, que continuava com o menino montado em seu lombo. Bastou aproximarem-se da entrada da cidade e um bando de meninos pôs-se a gritar:

— Olha o principezinho! Olha o principezinho! Tem até um lacaio para puxar o

NOME: _____

DATA: ___/___/_____

34ª SEMANA

burro pela rédea.

Ofendido por ter sido chamado de lacaio, o velho fez com que o menino descesse do burro no mesmo instante.

— Carreguemos o burro nas costas. Quem sabe, assim, contentamos a todos. Mais adiante, ao verem o menino e o velho carregando o burro, duas mulheres caíram na gargalhada.

— Rá! Rá! Rá! Três burros a caminho. Resta saber qual deles é o mais burro... Os dois que têm dois pés ou aquele que tem quatro? Rá! Rá! Rá!

— O mais burro sou eu, que, desde que saí de casa, tenho dado ouvidos aos outros. De agora em diante, só vou fazer o que bem entender — disse o velho.

Moral: quem tenta agradar todo mundo não agrada ninguém.

Fábula de La Fontaine.

1. Numere a 2ª coluna de acordo com a 1ª coluna:

(1) Rumo   (   ) Apreciação de um fato ou de uma situação, série de observações com que se esclarece.

(2) Absurdo   (   ) Desceu da montaria.

(3) Lombo   (   ) Criado que acompanha o amo em passeio ou jornada.

(4) Comentário   (   ) Contrário de bom senso.

(5) Marmanjo   (   ) Caminho, direção.

(6) Apeou   (   ) Homem adulto.

(7) Lacaio   (   ) Parte carnosa ao lado da espinha dorsal dos animais.

3º ano — LÍNGUA PORTUGUESA

34ª SEMANA

NOME: _____

DATA: ____/____/_____

2. Responda:

   A) Quem são os personagens da história?
   _____

   B) O que o velho gostaria de vender?
   _____

   C) Quem encontraram no caminho até a cidade?
   _____

   D) Qual é o único nome próprio citado no texto?
   _____

   E) Quem era Manoel?
   _____

3. Escreva de quem é cada fala:

   A) – Pelos cabos de todas as facas! Como alguém pode querer vender um animal deixando-o cansado desse jeito?
   _____

   B) – Se eu contar, vão achar que é mentira de pescador...
   _____

   C) – Olha o principezinho! Olha o principezinho! Tem até um lacaio para puxar o burro pela rédea.
   _____

   D) – Que absurdo! Um velho a andar a pé e um animal folgado com o lombo vazio.
   _____

   E) – Rá! Rá! Rá! Três burros a caminho. Resta saber qual deles é o mais burro...
   _____

NOME: _____

DATA: ____/____/_____

34ª SEMANA

PRONOMES PESSOAIS DO CASO RETO

Pronomes são palavras que substituem o substantivo.

Os pronomes pessoais do caso reto apresentam flexão de número e gênero: eu, tu, ele ou ela, nós, vós, eles ou elas.

A menina come banana.
Ela come banana.

A palavra **Ela** está substituindo a palavra **menina**. **Ela** é um **pronome**, pois substitui a palavra **menina**.

Concluímos que a palavra que substitui um substantivo ou nome chama-se **pronome**.

4. Forme frases empregando os pronomes:

A) Eu.
_____

B) Nós.
_____

C) Ela.
_____

D) Eles.
_____

3º ano — LÍNGUA PORTUGUESA

205

34ª SEMANA

NOME: _____

DATA: ____/____/_____

5. Substitua os desenhos por um pronome pessoal reto.

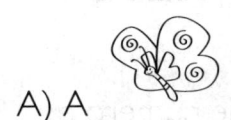

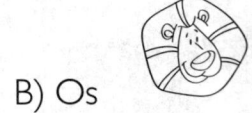

A) A 🦋 voa muito.

_____

B) Os 🦁🐆 são ferozes.

_____

C) A 👧 é muito inteligente.

_____

D) Os 👦👧 são da mesma sala.

_____

6. Observe os desenhos. Depois escreva os nomes deles nas frases da página seguinte ao qual se relacionam:

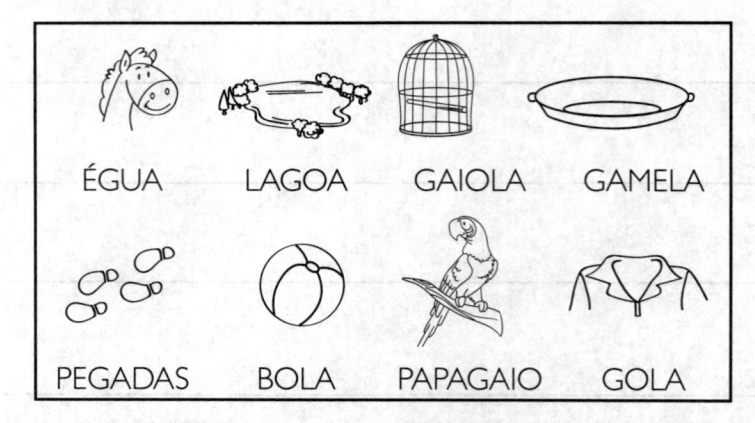

| ÉGUA | LAGOA | GAIOLA | GAMELA |
| PEGADAS | BOLA | PAPAGAIO | GOLA |

3º ano — Língua Portuguesa

NOME: _____

DATA: ___/___/_____

34ª SEMANA

A) Com ela, as crianças jogam futebol.
_____

B) Ele pertence ao grupo das aves.
_____

C) Ela faz parte da camisa e é onde encaixa a gravata.
_____

D) Ela é um animal mamífero.
_____

E) Ela tem muito peixes.
_____

F) Ela aprisiona o pássaro.
_____

G) Elas ficaram marcadas na areia.
_____

H) Ela serve para fritar bife.
_____

7. Reescreva as frases do exercício anterior trocando o pronome pelo substantivo correspondente.

A) _____.
B) _____.
C) _____.
D) _____.
E) _____.
F) _____.
G) _____.
H) _____.

3º ano – LÍNGUA PORTUGUESA

8. Cante a música com o(a) professor(a) e colegas. Depois, reescreva substituindo as palavras em destaque por pronomes pessoais do caso reto.

O cravo e a rosa
(Cantiga Popular)

O cravo brigou com a rosa

Debaixo de uma sacada.

O cravo saiu ferido

E a rosa, despedaçada!

O cravo ficou doente,

A rosa foi visitá-lo.

O cravo teve um desmaio.

A rosa pôs-se a chorar.

A rosa tratou do cravo

Com muita dedicação.

O cravo abraçou a rosa,

Agradecido de coração!

NOME: _____

DATA: ____/____/_____

34ª SEMANA

PRONOME POSSESSIVO

Os pronomes possessivos, ao indicarem a pessoa gramatical, acrescentam a ela a ideia de posse de algo.

Exemplo: Este lápis é meu.

Veja os pronomes de tratamento:

NÚMERO	PESSOA	PRONOME
SINGULAR	PRIMEIRA	MEU(S), MINHA(S)
SINGULAR	SEGUNDA	TEU(S), TUA(S)
SINGULAR	TERCEIRA	SEU(S), SUA(S)
PLURAL	PRIMEIRA	NOSSO(S), NOSSA(S)
PLURAL	SEGUNDA	VOSSO(S), VOSSA(S)
PLURAL	TERCEIRA	SEU(S), SUA(S)

1. Leia este texto:

Quando João Paulo saiu do Maranhão, em 2018, sozinho, tinha o sonho de um futuro melhor para a sua filha Claudete. Em Curitiba, o mecânico demorou um ano até proporcionar as condições necessárias para trazer a menina para viver com ele na nova região.

Conversando com colegas da empresa onde trabalha, descobriu o projeto "Educando com amor", que oferece atividades recreativas e educativas no contraturno da escola. Claudete tem aulas de inglês, informática básica, gramática, artes e esportes. Foi no projeto social que ela aprendeu efetivamente a ler. "Agora, é outra criança. Sempre foi tímida, e hoje interage muito bem com seus colegas e opina sobre diversos assuntos", conta o pai. "Faço de tudo para mantê-la ocupada, junto de pessoas do bem, que querem evoluir com cidadão. Sei que ela está sendo bem cuidada, alimentada e educada. O projeto é como uma nova família para ela", diz João

NOME: _____

DATA: ___/___/_____

35ª SEMANA

Paulo, que se separou da esposa quando a filha tinha pouco mais de 1 ano. Claudete diz que as suas atividades favoritas são dança e artes cênicas. Agora, quer aprender a tocar algum instrumento musical.

A) Qual era o sonho de João Paulo quando saiu do Maranhão, em 2017?

_____

B) Para onde foi em busca de melhores condições de vida e quanto tempo levou para ter a filha ao seu lado novamente?

_____

C) Qual função exerce?

_____

D) Como descobriu o projeto "Educando com amor"?

_____

E) Quais as aulas que Claudete tem no projeto social?

_____

F) Como era Claudete antes e depois do projeto social?

_____

G) Como o pai caracteriza o projeto social?

_____

H) Quais as aulas que Claudete mais gosta?

_____

I) E você? Quais as aulas que você mais gosta?

_____

3º ano – LÍNGUA PORTUGUESA

35ª SEMANA

NOME: _____

DATA: ___/___/_____

2. Escreva os pronomes que aparecem nas frases:

   A) O mecânico levou um ano até criar condições necessárias de enfim ter a menina novamente ao seu lado.
   _____

   B) Claudete diz que suas aulas favoritas são dança e artes cênicas.
   _____

3. Substitua os substantivos grifados do exercício anterior por pronomes pessoais.

   A) **O mecânico** levou um ano até criar as condições necessárias.
   _____

   B) **Claudete** diz que suas aulas favoritas são dança e artes cênicas.
   _____

4. Classifique os substantivos:

   A) Mecânico.
   _____

   B) Dança.
   _____

   C) Claudete.
   _____

5. Forme frases com os pronomes possessivos:

   seu _____

   minha _____

NOME: _____

DATA: ____/____/_____

35ª SEMANA

6. Forme frases com os pronomes possessivos:

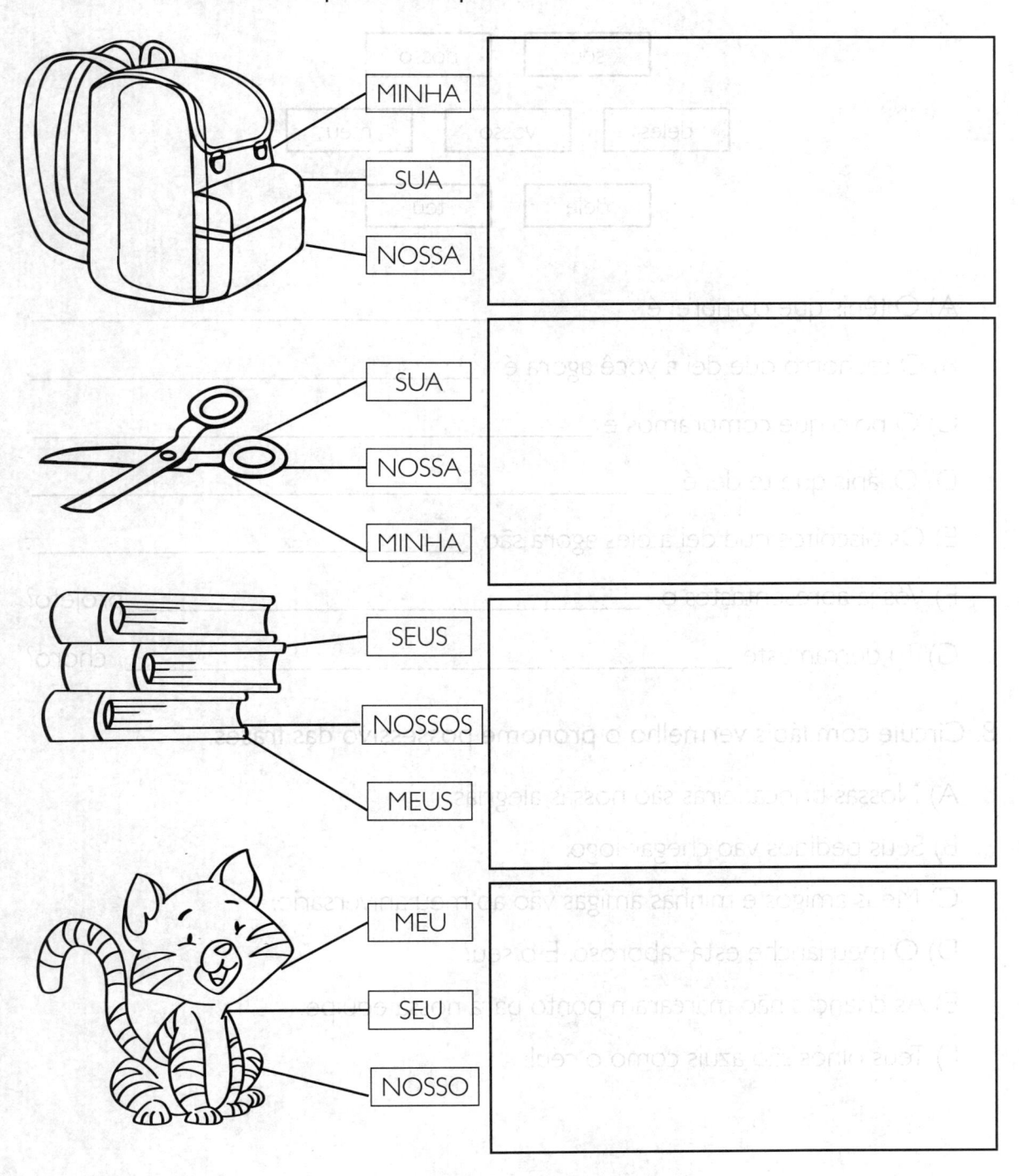

MINHA
SUA
NOSSA

SUA
NOSSA
MINHA

SEUS
NOSSOS
MEUS

MEU
SEU
NOSSO

3º ano – LÍNGUA PORTUGUESA

35ª SEMANA

NOME: _____

DATA: ___/___/_____

7. Complete as frases com o pronome possessivo mais adequado sem repetir.

seu	nosso
deles	vosso	meu
dele	teu

A) O tênis que comprei é _____.

B) O cachorro que dei a você agora é _____.

C) O bolo que compramos é _____.

D) O lápis que te dei é _____.

E) Os biscoitos que dei a eles agora são _____.

F) Vós já apresentastes o _____ projeto?

G) Tu derramaste _____ choro?

8. Circule com lápis vermelho o pronome possessivo das frases.

A) Nossas brincadeiras são nossas alegrias.

B) Seus pedidos vão chegar logo.

C) Meus amigos e minhas amigas vão ao meu aniversário.

D) O meu lanche está saboroso. E o seu?

E) As crianças não marcaram ponto para nossa equipe.

F) Teus olhos são azuis como o céu!

NOME: _____

DATA: ___/___/_____

35ª SEMANA

9. Encontre os pronomes possessivos no diagrama de palavras:

TUAS	TEU	NOSSO	VOSSOS	MEU
MEUS	NOSSOS	VOSSAS	NOSSAS	TEUS
MINHAS	SUA	MINHA	TUA	SEU
NOSSA	VOSSO	SUAS	VOSSA	

M	I	N	H	A	Y	T	U	R	F	C	V	B	N	S	U	A	Z	X
C	V	B	N	M	R	U	A	S	D	F	F	R	N	O	S	S	O	S
P	T	R	Z	S	W	A	E	R	T	S	E	U	L	K	J	G	F	R
V	O	S	S	A	P	T	V	C	S	Q	A	Z	X	S	W	E	D	C
V	F	R	T	G	B	N	H	T	E	Y	U	V	I	O	S	U	A	S
M	T	U	N	O	S	S	A	S	U	B	V	O	Z	X	C	V	F	G
E	T	Y	U	I	O	P	J	H	S	E	R	S	T	R	F	V	B	N
U	N	H	T	E	U	T	R	E	A	S	Z	S	G	M	E	U	R	O
S	P	O	I	U	Y	T	R	E	W	T	Q	A	D	S	F	G	H	S
J	K	V	O	S	S	O	S	T	G	U	B	S	H	J	T	Z	X	S
C	M	I	N	H	A	S	I	O	P	A	Q	A	Z	C	E	R	T	A
P	L	K	M	N	B	N	H	G	C	S	D	S	A	Z	U	Q	E	R
V	O	S	S	O	A	S	D	F	G	H	J	K	L	P	S	I	U	Y
T	R	E	Q	A	D	S	G	N	O	S	S	O	R	T	Y	U	I	O

3º ano — LÍNGUA PORTUGUESA

35ª SEMANA

NOME: _____

DATA: ____/____/_____

10. Complete a árvore com o nome dos membros de sua família e, em seguida, faça um texto utilizando pronomes possessivos.

Circule os pronomes do seu texto com lápis azul.

_____
_____
_____
_____
_____
_____
_____

3º ano – Língua Portuguesa

NOME: _____

DATA: ____/____/_____

36ª SEMANA

PRONOMES DE TRATAMENTO

Os pronomes de tratamento são usados para nos dirigirmos às pessoas com cortesia, amabilidade, gentileza.

PESSOAIS	ABREVIATURAS	APLICAÇÃO
VOCÊ, VOCÊS	(V.) (vc.) (v.)	TRATAMENTO PESSOAL E INFORMAL
SENHOR	(Sr.)	TRATAMENTO RESPEITOSO E FORMAL
SENHORA	(Sra.)	TRATAMENTO RESPEITOSO E FORMAL
SENHORITA	(Srta.)	TRATAMENTO RESPEITOSO E FORMAL
VOSSA SENHORIA	(V.Sa.)	TRATAMENTO CERIMONIAL
VOSSA EXCELÊNCIA	(V.Exa.)	PARA ALTAS AUTORIDADES
VOSSA MAJESTADE	(V.M.)	PARA REIS E RAINHAS
VOSSA SANTIDADE	(V.S.)	PARA O PAPA E O DALAI LAMA

3º ANO – LÍNGUA PORTUGUESA

36ª SEMANA

NOME: _____

DATA: ____/____/_____

1. Escreva no diagrama o pronome de tratamento usado para as seguintes pessoas:

   A) Príncipe e princesa: Vossa _____.

   B) Rainha e rei: Vossa _____.

   C) Altas autoridades, como o Presidente da República: Vossa _____.

   D) Papa e Dalai Lama: Vossa _____.

   E) Amigo: _____.

   F) Tratamento respeitoso usado em correspondências comerciais: Vossa _____.

NOME: _____

DATA: ____/____/_____

36ª SEMANA

2. Substitua os pronomes de tratamento por uma das pessoas ao qual se dirige:

A) Vossa Excelência viajará naquele avião.
_____

B) A senhora comprou doces?
_____

C) Vossa Santidade visitará o Brasil.
_____

D) Carolina é o amor da minha vida.
_____

E) O vestido de Vossa Majestade é preto.
_____

F) A senhora é muito bondosa.
_____

G) Aguardamos a senhorita em nossa festa.
_____

H) Vossa Alteza estará em um chá beneficente.
_____

3. Ditado divertido. O(a) professor(a) vai ditar a palavra e você terá de pintar o pronome com a cor pedida.

VOSSA SENHORIA	SENHOR	VOSSA EXCELÊNCIA	SENHORITA
CAMARADA	VOCÊ	AMIGO	VOSSA REVERENDÍSSIMA
SENHORA	VOSSA SANTIDADE	VOSSA MAJESTADE	MEU CHAPA

3º ano – LÍNGUA PORTUGUESA

4. Complete os bilhetes com o pronome de tratamento, sendo:

1º: para um amigo;
2º: para o diretor da escola; e
3º: para seu pai.

PAULÃO,

ESPERO _____ PARA PARTICIPAR DE UM BAILE DE FORMATURA NO SÁBADO, DIA 07/07, ÀS 22 H.

ALUNOS DO ENSINO MÉDIO

SENHOR PAULO,

ESPERO _____ PARA PARTICIPAR DE UM BAILE DE FORMATURA NO SÁBADO, DIA 07/07, ÀS 22 H.

ALUNOS DO ENSINO MÉDIO

PAULO,

ESPERO O _____ PARA PARTICIPAR DE UM BAILE DE FORMATURA NO SÁBADO, DIA 07/07, ÀS 22 H.

ALUNOS DO ENSINO MÉDIO

NOME: _____

DATA: ____/____/_____

36ª SEMANA

5. Veja a lista dos demais convidados da formatura do ensino médio. Circule de verde os pronomes de tratamento.

LISTA DE CONVIDADOS
SENHORITA PATRÍCIA
SENHOR JOÃO PAULO
VOSSA EXCELÊNCIA, O PREFEITO DA CIDADE
VOSSA SENHORIA, O DELEGADO DA CIDADE
VOSSA SENHORIA, O DIRETOR DA ESCOLA
PROFESSORA SENHORITA CAMILA MORATO
VOSSA EXCELÊNCIA, CORONEL CARLOS MOTA

3º ano – LÍNGUA PORTUGUESA

6. Escreva uma carta para o Prefeito de sua cidade pedindo para ele vir conhecer as ruas de seu bairro. Utilize pronomes pessoais do caso reto, pronomes possessivos e pronomes de tratamento.

Ao elaborar sua carta, descreva as ruas como se estivessem em péssimas condições.

TEMPO PRESENTE

O MENINO **DESENHA**   O MENINO **ESCREVE**   A MENINA **BRINCA**

Desenha, escreve e brinca são verbos. Eles indicam ações.

As três frases representam o tempo presente. Significa que as ações estão acontecendo no momento.

Verbos são palavras que indicam ações realizadas pelos seres.

Os verbos apresentam-se de várias formas.

PRESENTE

HOJE É DOMINGO. NÃO TEM AULA.
A ESCOLA ESTÁ FECHADA.
HOJE = PRESENTE
É O TEMPO QUE ACONTECE AGORA, NESTE MOMENTO...

37ª SEMANA

NOME: _____

DATA: ___/___/_____

1. Leia com atenção:

O cão e o osso

Um dia, o cão ia caminhando tranquilo por uma ponte, carregando na boca um belo osso.

Ao olhar para baixo, viu sua imagem refletida na água e pensou: "Que belo osso tem este cão. Se conseguir pegá-lo, vou ter comida por mais um dia".

Pensando assim, o cão partiu para a ação e pulou na água sobre a sua imagem refletida.

Qual não foi sua decepção ao perceber seu engano! O pior foi que seu osso se perdeu no rio e ele ficou sem nenhum.

Decepcionado consigo mesmo, o cão saiu da água cabisbaixo e arrependido pela cobiça.

Moral: mais vale um pássaro na mão do que dois voando.

A) Por que o cão queria trocar de osso?
_____

B) Você achou correta a atitude do cão? Justifique sua resposta.
_____

C) O que o cão fez para conseguir o osso?
_____

D) Por que ele se decepcionou?
_____

E) O que é cobiça?
_____

F) Explique a moral da história com suas palavras.
_____

NOME: _____

DATA: ___/___/_____

37ª SEMANA

2. Complete o texto com os verbos no tempo presente.

O cão e o osso

Um cão _____ (caminhar) tranquilo por uma ponte, _____ (carregar) na boca um belo osso.

Ao olhar para baixo, _____ (ver) sua imagem refletida na água e _____ (pensar):

"Que belo osso tem este cão. Se conseguir pegá-lo, vou ter comida por mais um dia".

Pensando assim, o cão _____ (partir) para a ação e _____ (pular) na água sobre a sua imagem refletida.

Qual não _____ (ser) sua decepção ao perceber seu engano! O pior _____ (ser) que seu osso se _____ (perder) no rio e ele _____ (ficar) sem nenhum.

Decepcionado consigo mesmo, o cão _____ (sair) da água cabisbaixo e arrependido pela cobiça.

Moral: mais vale um pássaro na mão do que dois voando.

3º ano – LÍNGUA PORTUGUESA

37ª SEMANA

NOME: _____

DATA: ____/____/_____

3. Escreva as ações apresentadas nas figuras:

226   3º ano – Língua Portuguesa

NOME: _____

DATA: ____/____/_____

37ª SEMANA

4. Conjugue os verbos no tempo presente.

VERBO: ACORDAR	**VERBO:** PULAR
EU ACORDO	EU _____
TU ACORDAS	TU _____
ELE (ELA) ACORDA	ELE (ELA) _____
NÓS ACORDAMOS	NÓS _____
VÓS ACORDAIS	VÓS _____
ELES (ELAS) ACORDAM	ELES (ELAS) _____

VERBO: VER	**VERBO:** SENTIR
EU _____	EU _____
TU _____	TU _____
ELE (ELA) _____	ELE (ELA) _____
NÓS _____	NÓS _____
VÓS _____	VÓS _____
ELES (ELAS) _____	ELES (ELAS) _____

3º ano – LÍNGUA PORTUGUESA

NOME: _____

DATA: ____/____/_____

37ª SEMANA

5. Complete as frases com um verbo no presente:

Ísis _____ água.

João Pedro _____ pratos.

Davi _____ no rio.

6. Reescreva as frases do exercício anterior circulando os verbos de verde:

_____
_____
_____
_____
_____
_____
_____
_____
_____
_____

3º ano — Língua Portuguesa

NOME: _____

DATA: ____/____/_____

37ª SEMANA

7. Escreva os verbos das frases no tempo presente.

   A) Joana caiu da árvore.
   _____

   B) Ela viajou de avião.
   _____

   C) Débora nadou no rio.
   _____

   D) Papai e mamãe compraram minha bicicleta.
   _____

   E) O palhaço fez graça.
   _____

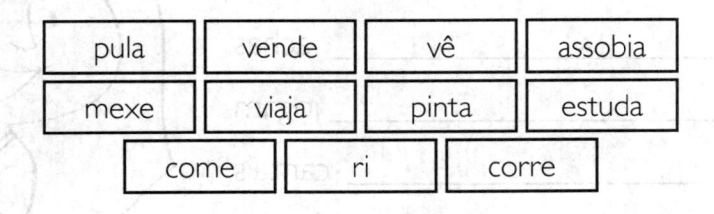

8. Complete as frases com um dos verbos do quadro:

pula	vende	vê	assobia
mexe	viaja	pinta	estuda
come	ri	corre	

   A) Mariana _____ macarrão.

   B) Caio _____ corda.

   C) Camila _____ na escola pública.

   D) Gabriel _____ do cachorro.

   E) Sandra _____ na gaveta de remédios.

   F) Senhor Jorge _____ goiabada na feira.

   G) Carolina _____ de carro para a praia.

3º ano — LÍNGUA PORTUGUESA

37ª SEMANA

NOME: _____

DATA: _____/_____/_____

H) Bruna _____ dos filmes de comédia.

I) Manu _____ o filme no cinema.

J) Beth _____ um quadro de flores.

K) Paulo _____ para o amigo que não vê há muito tempo.

9. Escreva o pronome pessoal conforme o verbo.

A) _____ brincamos.
B) _____ chamas.
C) _____ falastes.
D) _____ recebo.
E) _____ vendo.
F) _____ estudamos.
G) _____ canta.
H) _____ achas.
I) _____ jogam.
J) _____ cantais.
K) _____ parto.
L) _____ comemos.

3º ano – LÍNGUA PORTUGUESA

10. Complete com o verbo em destaque:

A) Cantar

Nós _____ no coral.

Ana _____ na escola.

Eles _____ na orquestra.

Paulo _____ no chuveiro.

B) Estudar

Eu _____ canto.

Eles _____ inglês.

Tu _____ espanhol.

Elas _____ música.

C) Amar

Eu _____ meus pais.

Caio e Davi _____ seus primos.

Vós _____ seu próximo.

Eles _____ futebol.

D) Sentir

Pedro _____ frio e sede.

Eu e você _____ saudade da nossa infância.

Paula se _____ feliz ao comer doces.

As crianças _____ calor no verão.

37ª SEMANA

NOME: _____

DATA: ____/____/_____

11. Observe as cenas e crie um texto. Use os verbos no tempo presente.

O cão e sua sombra

_____
_____
_____
_____
_____
_____
_____
_____
_____
_____
_____
_____
_____
_____
_____
_____

3º ano – LÍNGUA PORTUGUESA

NOME: _____

DATA: ____/____/_____

38ª SEMANA

PRETÉRITO OU PASSADO

Passado

ONTEM NÃO TEVE AULA.

ONTEM = PASSADO OU PRETÉRITO

É O TEMPO QUE JÁ PASSOU...
É PASSADO... JÁ NÃO VOLTA.

ATENÇÃO!
EMPREGA-SE –**RAM** QUANDO O VERBO INDICA PASSADO (PRETÉRITO).
-RAM: PASSADO

3º ano – LÍNGUA PORTUGUESA

38ª SEMANA

NOME: _____

DATA: ___/___/_____

1. Leia:

O galo e a raposa

O galo e as galinhas viram que, lá longe, vinha uma raposa.

Apavorados, pularam na árvore mais próxima para despistar a inimiga.

Mas a raposa era muito esperta e calmamente aproximou-se da árvore e falou:

— Amigos, desçam daí, vocês não sabem da novidade? Foi decretada a paz entre os animais. Vamos. Desçam e venham comemorar!

O galo, que não era bobo nem nada, disse:

— Puxa, ficamos felizes com a notícia! Tanto que vejo ao longe cães se aproximando. Que tal esperarmos por eles para nossa festança?

A raposa, apavorada, disfarçou e foi saindo devagar.

— É uma pena, amigos, mas não vou esperar para comemorar com vocês. Acho que a notícia ainda não chegou para todos os bichos e eles podem querer me atacar. Depois falamos. Tchau...

E lá se foi a raposa esperta, rápida como um raio.

O galo olhou para as galinhas e disse:

— Contra a esperteza, esperteza e meia.

Fábulas de Esopo.

A) Quem são os personagens da fábula?
_____

B) Por que o galo e as galinhas ficaram apavorados?
_____

C) O que eles fizeram para fugir da raposa?
_____

NOME: _____

DATA: ____/____/_____

38ª SEMANA

D) O que a raposa disse para tentar enganar as galinhas e o galo?
_____

E) O galo e as galinhas acreditaram? O que falaram?
_____

F) A raposa esperou a chegada dos cães? Justifique sua resposta.
_____

G) Qual é a moral da história?
_____

2. Escreva os adjetivos conforme o texto:

A) Galos e galinhas: _____

B) Raposa: _____

3. Troque os substantivos em negrito por pronomes pessoais do caso reto.

A) **O galo e as galinhas** viram uma raposa.
_____

B) **A raposa** era muito esperta.
_____

C) Foi decretada a paz entre **eu e vocês**.
_____

D) **Os cães** estão se aproximando.
_____

E) **O galo** olhou para **as galinhas** e disse.
_____

F) **A raposa** é esperta, mas **o galo e as galinhas** são mais.
_____

3º ano – LÍNGUA PORTUGUESA

235

38ª SEMANA

NOME: _____

DATA: ____/____/_____

4. Circule de verde os verbos das frases:

   A) O galo e a galinha viram a raposa de longe.

   B) Pularam na árvore.

   C) A raposa era muito esperta.

   D) O galo não era bobo.

   E) A raposa se achava muito esperta.

   • Em que tempo os verbos se encontram?
   _____

5. Retire do texto:

   A) Uma frase afirmativa.
   _____

   B) Uma frase negativa.
   _____

   C) Uma frase interrogativa.
   _____

   D) Uma frase imperativa.
   _____

   E) Uma frase exclamativa.
   _____

6. Retire do texto a frase que se refere à figura:
   _____
   _____
   _____

3º ano — LÍNGUA PORTUGUESA

NOME: _____

DATA: ____/____/_____

38ª SEMANA

7. Complete as frases com um verbo no passado ou pretérito.

Lara _____ água.

João Pedro _____ os pratos.

Fábio _____ muitos peixes.

8. Ligue os verbos às ações.

Correu •   • Estudar

Choraram •   　• Ler

Estudou •   • Chorou

Leu •   • Correr

3º ano — LÍNGUA PORTUGUESA

38ª SEMANA

NOME: _____

DATA: ___/___/_____

9. Passe as frases para o passado ou pretérito:

A) João Pedro escreve muito devagar.
_____

B) Isadora canta no coral.
_____

C) As crianças chegam da escola.
_____

D) Helen é muito bonita.
_____

10. Complete as frases com um verbo no passado:

A) Rafael _____ uma carteira.

B) Léo _____ o carro na garagem.

C) Sílvia _____ o sapato da prima.

D) O picolé _____ muito gelado.

11. Faça a correspondência:

Hoje •

    Ele comprou um sapato

    Ele compra um sapato

• Passado

    Eu estudo para a prova

Ontem •

    Eu estudei para a prova

• Presente

3º ano – LÍNGUA PORTUGUESA

NOME: _____

DATA: ____/____/_____

39ª SEMANA

FUTURO

AMANHÃ HAVERÁ AULA?

AMANHÃ = FUTURO

É O TEMPO QUE HÁ DE VIR...
SERÁ LOGO, MAIS TARDE, AMANHÃ...
É O FUTURO.

FIQUE LIGADO!
EMPREGA-SE **–RÃO** QUANDO O VERBO INDICA FUTURO.
-RÃO: FUTURO

3º ano – LÍNGUA PORTUGUESA

39ª SEMANA

NOME: _____

DATA: ____/____/_____

1. Escreva as ações no futuro:

Sabrina _____ água.

Paulo _____ louças.

João _____ no rio.

240 3º ano – Língua Portuguesa

NOME: _____

DATA: ____/____/_____

39ª SEMANA

2. Complete com o verbo no futuro:

   A) Vender – Nós
   _____

   B) Beber – Eu
   _____

   C) Receber – Vocês
   _____

   D) Dormir – Eles
   _____

   E) Escrever – Ele
   _____

3. Forme uma frase com cada verbo conjugado do exercício anterior:

   A) _____
   _____

   B) _____
   _____

   C) _____
   _____

   D) _____
   _____

   E) _____
   _____

3º ano – LÍNGUA PORTUGUESA

39ª SEMANA

NOME: _____

DATA: ___/___/_____

4. Reescreva as frases no futuro:

    A) Pedro comeu o suspiro.
    _____

    B) Ela vendeu o sapato de princesa.
    _____

    C) Ele recebeu as visitas.
    _____

    D) Eles falaram as novidades.
    _____

    E) Eu bebi o suco.
    _____

5. Reescreva as frases no pretérito ou passado.

    A) Eu comerei um pedaço do bolo.
    _____

    B) Ele dará flores para a namorada.
    _____

    C) Eles escreverão cartas.
    _____

    D) As crianças correrão no jardim.
    _____

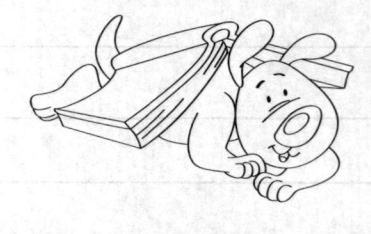

NOME: _____

DATA: ___/___/_____

39ª SEMANA

6. Complete as frases com os verbos no presente, pretérito ou futuro. Depois, escreva o tempo que você usou.

   A) A professora _____ os alunos.
   Verbo no _____.

   B) O médico _____ dos doentes.
   Verbo no _____.

   C) O motorista _____ o carro em alta velocidade.
   Verbo no _____.

   D) A menina _____ piano.
   Verbo no _____.

7. Circule os verbos conforme a legenda:

Presente: vermelho	**Pretérito** ou **passado:** azul	**Futuro:** verde

   A) Ela se levantou cedo.

   B) Papai comprará verduras.

   C) Eu estudo para a prova.

   D) Eles andam de bicicleta.

   E) Nós comeremos *pizza*.

   F) Os meninos jogaram bola no campo do bairro.

   G) Viajo hoje.

   H) Vítor encontrou seu primo no *shopping*.

   I) Sairei mais cedo do trabalho.

   J) Preciso de dinheiro.

   K) Caí do cavalo no fim de semana.

3º ano — LÍNGUA PORTUGUESA

VERBOS NO MODO INDICATIVO

Os verbos são palavras que variam em tempo, pessoa e número. Elas apresentam três tempos: presente, passado ou pretérito e futuro.

1. Leia as frases e marque o tempo em que estão:

PR: Presente   P: Passado   F: Futuro

FRASE	PR.	P.	F.
Eu comprarei no bazar da escola.			
A filha escreve uma carta para a mãe.			
Quanto custou a camiseta?			
Joana sempre chega atrasada.			
Marcelo bebeu muita água.			
Ficarei atenta às promoções.			
Paulo chorou muito.			
Eu almoço bem.			
Ela conversou com os amigos.			
Nós cantaremos no coral.			
Elas sairão no sábado.			
Quero *pizza* de muçarela.			
Sonhei com você!			
Danço *jazz*.			
Sambarei na Sapucaí.			

3º ano — Língua Portuguesa

NOME: _____

DATA: _____/_____/_____

40ª SEMANA

2. Complete as frases com o verbo **cantar** no presente.

   Eu _____ no coral

   Tu _____ no coral.

   Ele _____ no coral

   Nós _____ no coral

   Vós _____ no coral.

   Eles _____ no coral.

3. Complete as frases com o verbo **estudar** no pretérito.

   Eu _____ muito.

   Tu _____ muito.

   Ele _____ muito.

   Nós _____ muito.

   Vós _____ muito.

   Eles _____ muito.

4. Complete as frases com o verbo **viajar** no futuro.

   Eu _____ nas férias.

   Tu _____ nas férias.

   Ele _____ nas férias.

   Nós _____ nas férias.

   Vós _____ nas férias.

   Eles _____ nas férias.

3º ano — LÍNGUA PORTUGUESA

NOME: _____

DATA: ____/____/_____

40ª SEMANA

5. Os fatos foram narrados no presente. Reescreva-os no pretérito e no futuro.

A) Uma raposa convida uma cegonha para jantar e só lhe serve uma sopa, dentro de um prato muito raso. A raposa lambe o prato com facilidade, enquanto a cegonha só consegue molhar um pouco a ponta do bico.

Pretérito: _____

_____

Futuro: _____

_____

B) Na semana seguinte, a cegonha convida a raposa para jantar em sua casa. Para desapontamento da raposa, a cegonha lhe serve a sopa num jarro comprido, de gargalho estreito. A cegonha enfia o bico e bebe toda a sopa. A raposa não bebe uma só gota.

Pretérito: _____

_____

Futuro: _____

_____

C) Um mosquito pousa no chifre de um touro e lá fica por muito Tempo. Depois, voa e pergunta ao touro:

— O meu peso não o incomoda?

Pretérito: _____

_____

Futuro: _____

_____

3º ano — LÍNGUA PORTUGUESA

NOME: _____

DATA: ___/___/_____

40ª SEMANA

6. Informe o tempo em que se encontram os verbos destacados, assinalando:

(1) Presente   (2) Passado ou pretérito   (3) Futuro

A) A mulher sentou-se ( ) ao lado da filha.

B) A criança dorme ( ) profundamente no colo do pai.

C) Eu farei ( ) o café e você tirará ( ) a mesa.

D) Eles não aceitarão ( ) a minha proposta.

E) Jalfer sorriu ( ) para Ísis.

F) O trem apita ( ) que está chegando.

G) Decidiremos ( ) os detalhes da festa depois.

7. Reescreva as frases com os verbos de acordo com o pronome e o sentido da frase.

A) Ontem eles (apresentar) várias propostas de negócio.
_____

B) Eu (querer) que ela (permanecer) entre nós.
_____

C) Amanhã você (participar) do jogo de futebol.
_____

D) Ontem eles (ler) o jornal, amanhã vocês (ler).
_____

8. Forme uma frase com o verbo **pensar** no presente, no pretérito e no passado.
_____
_____

3º ano – LÍNGUA PORTUGUESA

40ª SEMANA

NOME: _____

DATA: ___/___/_____

9. Leia e faça o que se pede:

A gansa que punha ovos de ouro

Um homem possuía uma gansa que, toda manhã, botava um ovo de ouro. Vendendo esses ovos preciosos, ele estava acumulando uma grande fortuna. Quanto mais rico ficava, porém, mais avarento se tornava. **Começou** a achar que um ovo só, por dia, era pouco.

"Por que não **põe** dois ovos, quatro ou cinco?", Pensava ele. "Provavelmente, se eu abrir a barriga dessa ave, **encontrarei** uma centena de ovos e **viverei** como um rei."

Assim pensando, **matou** a gansa, **abriu**-lhe a barriga e, naturalmente, nada encontrou.

Fábulas de Esopo.

A) Em que tempo os verbos em destaque se encontram?

- Começou: _____
- Põe: _____
- Encontrarei: _____
- Viverei: _____
- Matou: _____
- Abriu: _____

3º ano — LÍNGUA PORTUGUESA

NOME: _____

DATA: ___/___/_____

40ª SEMANA

10. Escreva o pronome pessoal de acordo com a terminação do verbo: eu, tu, ele, nós, vós, eles.

   A) _____ escrevemos muito na aula de hoje.

   B) _____ viveste muito.

   C) _____ falastes demais.

   D) _____ recebeu muitos elogios.

   E) _____ vendo barato as mercadorias.

   F) _____ estudamos no 3º ano.

   G) _____ ganhou o concurso.

   H) _____ achei meu álbum de figurinhas.

   I) _____ viajamos com nossos pais.

   J) _____ cantais no chuveiro.

   K) _____ saiu com o melhor amigo.

11. Complete as frases com o verbo entre parênteses no passado ou no futuro.

   A) Ontem os meninos _____ (vencer) a competição.

   B) No próximo domingo, as crianças _____ (vencer) a gincana.

   C) Após o espetáculo, os pais _____ (lanchar) no *shopping*.

   D) Amanhã minhas irmãs _____ (ir) à casa do papai.

   E) As crianças _____ (pular) o muro ontem.

   F) No torneio de amanhã, os carros _____ (subir) a avenida.

3º ano – LÍNGUA PORTUGUESA

40ª SEMANA

NOME: _____

DATA: ____/____/_____

12. Forme frases conforme o enunciado.

Carteira perdida (passado).

_____
_____
_____
_____

Relógio na escola (presente).

_____
_____
_____
_____

Campanha de vacinação (futuro).

_____
_____
_____
_____

3º ano – LÍNGUA PORTUGUESA

RESPOSTAS DAS ATIVIDADES

Págs. 9/10/11/12/13/14 — **1.** A) e B) Pessoal. **2.** Pessoal. **3.** A) a E) Pessoal. **4.** Pessoal. **5.** Pessoal. **6.** A) a D) Pessoal. E) No jogo de futebol da escola, o juiz teve que usar apito. F) O rádio só toca música sertaneja. **7.** A) A notícia deixou todos abalados. B) O campeonato da escola acontecerá no mês de junho.

Págs. 15/16/17/18/19/20/21 — **1.** Pessoal. **2.** Pessoal. **3.** A) Amélia, Bianca, Camila, Débora, Esther, Fabiana, Giovana, Lara, Melissa, Rafaela. B) Beto, Fábio, Frederico, Gustavo, Hugo, Jalfer, João, Jorge, Júnior, Rafael, Rodrigo. C) Amélia, Beto, Bianca, Camila, Débora, Esther, Fabiana, Fábio, Frederico, Giovana, Gustavo, Hugo, Jalfer, João, Jorge, Júnior, Lara, Melissa, Rafael, Rafaela, Rodrigo. **4.** Pessoal.

Págs. 22/23/24/25/26/27 — **1.** Pessoal. **2.** Pessoal. **3.** A) Circular: beijoca, dou, então, roubar, louco, beijou, outro. B) bei-jo-ca / dou / en-tão / rou-bar / lou-co / bei-jou / ou-tro. C) Todos são ditongos. D) Ditongo é o encontro de uma vogal e uma semivogal na mesma sílaba. E) Sim. F) Pintar de amarelo: bei-jo-ca / dou / en-tão / rou-bar / lou-co / bei-jou / ou-tro. **4.**

PALAVRA	SÍLABAS	DITONGO	TRITONGO	HIATO
Noiva	Noi-va	X		
Joelho	Jo-e-lho			X
Saúva	Sa-ú-va			X
Falcão	Fal-cão	X		
Noite	Noi-te	X		
Paraguai	Pa-ra-guai		X	
Poente	Po-en-te			X
Ouvido	Ou-vi-do	X		
Vaidade	Va-i-da-de			X
Fiado	Fi-a-do			X
Aurora	Au-ro-ra	X		
Uruguai	U-ru-guai		X	

5. Pi-a (H) / Pás-coa (D) / sa-guão (T) / cai-xa (D) / ba-ú (H) / Pa-ra-guai (T). **6.** í / í / e /oa / a / es / ú / a.

Págs. 28/29/30/31 — **1.** A) Circular de vermelho: corre, cotia, casa, cipó, lencinho, caiu, chão. Circular de azul: moça, coração. B)

PALAVRAS COM C	PALAVRAS COM Ç
Corre	Moça
Cotia	Coração
Casa	
Cipó	
Lencinho	
Caiu	
Chão	

C) Pessoal. D) Corre (cor-re) / cotia (co-ti-a) / casa (ca-sa) / cipó (ci-pó) / caiu (ca-iu) / chão (chão) / lencinho (len-ci-nho). E) Caiu, chão. F) Cotia. **2.** Pessoal. **3.** A) Bacia. B) Céu. C) Louça. D) Macio. E) Cigarra. F) Cebola. G) Cérebro. H) Criança. I) Força. J) Açúcar. K) Faça ou Faca. L) Cinema / Que sempre no início da palavra, inicia-se com ç; antes de a e u, usa-se ç; antes de e e i, usa-se c. **4.** Maço, louça, moça, roça, caçula, maçã, taça, coração, poço.

Págs. 32/33/34/35 — **1.** Quibe, quilo, leque, queda, quitanda, quadra, quiabo, aquário, basquete, querido, pequeno, quero. A)

QUA	QUE	QUI
Quadra	Leque	Quibe
Aquário	Queda	Quilo
	Basquete	Quitanda
	Querido	Quiabo
	Pequeno	
	Quero	

B) Pessoal. **2.** Palavras que aparecem a pronúncia do u quando se fala: quanto, quadrado, quando, quarto, aquário. Palavras que não aparecem a pronúncia do u quando se fala: quiser, quente, quero, querido, quiabo, caqui, quieto, quilo, quibe, quota, brinquedo, laquê, quepe, faqueiro, queijo. **3.** Pessoal. Qua = qualidade, quadro / Que = querida, queijo / Qui = quibe, quiabo / Quo = quociente. **4.** A) a D) Pessoal.

Págs. 36/37/38/39/40 — **1.** Pessoal. A)

INSEPARÁVEIS	SÍLABAS
Zebra	Ze bra
Presente	Pre sen te
Flecha	Fle cha
Estrela	Es tre la
Flor	Flor
Igreja	I gre ja
Flauta	Flau ta

SEPARÁVEIS	SÍLABAS
Sombrinha	Som bri nha
Bandeira	Ban dei ra

2. Bruxa = br / abraço = br / brigadeiro (br) / braço (br). **3.** Pessoal. **4.**

RESPOSTAS DAS ATIVIDADES

```
D C C O F R E B [F R I T O] N L
P J H G C V X B D X V Z C D H
[M A D R I N H A] P Q O L K B O
H K X C H T Q K P L N H J M Z
Y F D H [B R O C H U R A] B H X
[E S C R I T A] K T W [F R A C O]
[B R E Q U E] Z P C X V I D R O
V B N H J M K E Y T R W Q S D
[F R I O] X S Z D K L G F D T R
B M J P N C L R F D C X V T Y
W P X F P R B E Z X [C R E M E]
L A Ç J H E B I C K R Z W D M
M D H Y R D Y R J K I Ç X N B
[B R I L H O] Q O Z W A T G H R
K E L P D S G F B V T M H Y U
```

A) Circular de vermelho: **fr**ito, ma**dr**inha, **br**ochura, es**cr**ita, **fr**aco, **br**eque, **vidr**o, **fr**io, pe**dr**eiro, **cr**eme, **br**ilho, **cr**edo.

Págs. 41/42/43/44/45 — 1. Pessoal. 2.

Erra	Era
Encerra	Encera
Corro	Coro
Arranha	Aranha
Morro	Moro
Torra	Tora
Ferra	Fera
Carreta	Careta
Murro	Muro
Carrinho	Carinho
Carro	Caro

3. Pessoal. 4.

PALAVRAS	SÍLABAS	DÍGRAFOS
Orelhudo	O re lhu do	Lh
Canhoto	Ca nho to	Nh
Chuveiro	Chu vei ro	Ch
Passarela	Pas sa re la	Ss
Corrida	Cor ri da	Rr
Chocolate	Cho co la te	Ch

Exceto	Ex ce to	Xc
Piscina	Pis ci na	Sc
Campo	Cam po	Am
Ronco	Ron co	On

5.

NA MESMA SÍLABA	EM SÍLABAS SEPARADAS
Bicho	Passear
Querido	Desço
Filho	Serra
Foguete	Exceção
Marinha	Crescer

Págs. 46/47/48/49 — 1. A) Circular de azul: prática, então, água, você, possível, ótima, feijões, até, três. B)

PALAVRA	SÍLABAS
prática	prá ti ca
então	en tão
água	á gua
você	vo cê
possível	pos sí vel
ótima	ó ti ma
feijões	fei jões
até	a té
três	três

C) Acento agudo, til e acento circunflexo 2. Rapas = rapaz / rezolveu = resolveu / próssimo = próximo / peças = pessoas / curiozos = curiosos / delissiosa = deliciosa / engroçá-la = engrossá-la / tenpero = tempero / fujiu = fugiu. A) Pessoas, curiosos, deliciosa. B) Resolveu, fugiu. C) Circular de vermelho: olhei, fornalha, olhos, espalha. Circular de azul: fornalha, falta, então, voltar, espalha, voltarei. 4.

```
Ã M [V I O L Ã O] J
O [M A Ç Ã   S P Ã O]
R S T V [P I Ã O] R
X Z [S A B Ã O] S V
[F O G Ã O] B X Z M
C [L E Ã O] M N P A
A [M Ã O] S K R S M
R [M A C A R R Ã O]
V R [M A M Ã O] G J
C [A R V Ã O] P O J
O M S V Ã C [R Ã] O
```

3º ano – LÍNGUA PORTUGUESA

RESPOSTAS DAS ATIVIDADES

Mão, pião, pão, fogão, maçã, mamão, sabão, violão, leão, macarrão, carvão, rã.

Págs. 50/51/52/53/54 — 1. A) Ao hábito de leitura. B) a F) Pessoal. 2.

PALAVRAS	OXÍTONA	PAROXÍTONA	PROPAROXÍTONA
Inglês	x		x
Hábito			x
Você	x		
Várias		x	
Vários		x	
Experiências		x	
Lê	x		
Até	x		
Remédio		x	
Notícias			x
Informações	x		

3. 3 - viver, 3 - urubu, 1 - antônimo, 3 - atrás, 2 - espelhos, 1 - pássaro, 2 - folgado, 1 - óculos, 2 - fazenda.

4. A)

OXÍTONA	PAROXÍTONA	PROPAROXÍTONA
Amendoim	Magrinha	Árvore
Rodapé	Gostava	Estômago
Abacaxi	Estrela	Abóbora
Maracujá	Amarelo	Rápido
Capitão		Pacífico
Bisavó		Térmico

5.

Proparoxítona	Paroxítona	Oxítona
lâmpada	caneca	café
números	prato	refeição
pêssego	mesada	dominó
matemática	mulheres	lampião
	estojo	sofá

A) É a sílaba mais forte quando se fala a palavra.

Págs. 55/56/57/58/59/60/61 — 1.

Logrou	enganar, mentir
Matreiro	esperto, experiente
Empoleirou	subir no poleiro
Desapontada	decepcionada
Crueldade	maldade
Raspou	vazou

2. A) O galo <u>enganou</u> a raposa. B) O galo era muito <u>esperto</u>. C) O galo <u>subiu</u> no galho da árvore. D) A raposa ficou <u>decepcionada</u>. E) É muita <u>maldade</u> da raposa! F) A raposa <u>vazou-se</u> da floresta. 3. A) Porque viu a aproximação da raposa e teve medo. B) Que havia acabado a guerra entre os animais. Agora todos estavam em paz. C) Pessoal. D) Pessoal. E) Porque ela havia falado mentira e ficou com medo dos cães. F) Pessoal. G) Pessoal. 4. Pessoal. 5. A) Pessoal. B) Era grande, muito colorido: vermelho, amarelo, verde e azul. C) – Vocês são cegas? D) Ela iria criar o cisnezinho e podia virar heroína de uma história! E) – Pelo tamanho pode ser de avestruz, mas pelas cores não deve ser... 6.

U	I	R	W	U	L	A	W	R	A	L	T
D	O	I	S	-	P	O	N	T	O	S	R
X	K	V	C	X	Y	Y	C	V	Y	Y	A
V	Í	R	G	U	L	A	G	R	A	L	V
T	M	X	F	T	J	F	F	X	F	J	E
Ç	N	D	H	Ç	G	G	H	D	G	G	S
K	U	E	J	K	D	H	J	E	H	D	S
P	O	N	T	O	-	F	I	N	A	L	Ã
T	P	T	G	T	S	K	G	T	L	S	O

6. Pessoal.

Págs. 62/63/64/65 — 1. A)

O galo e a pérola

Um galo, que ciscava no terreiro para encontrar alimento, fossem migalhas ou bichinhos para comer, acabou encontrando uma pérola preciosa. Após observar sua beleza por um instante, disse:

— Ó linda e preciosa pedra que reluz, seja como o sol, seja como a lua, ainda que esteja num lugar sujo, se tu encontrasses um humano, fosse ele um construtor de joias, uma dama que gostasse de enfeites ou mesmo um mercenário, te recolherias com muita alegria, mas a mim de nada prestas, pois que é mais importante uma migalha, um verme ou um grão que sirvam para o sustento.

Dito isto, deixou-a e seguiu esgravatando para buscar conveniente mantimento.

Fábulas de Esopo.

B) Pessoal. 2. A) Ele ciscava no terreiro para encontrar alimento, fossem migalhas ou bichinhos para comer, e acabou encontrando uma pérola preciosa. B) Ele deixou a pérola no lugar que encontrou e seguiu seu caminho, porque, para ele, a pérola não serviria para nada. C) Uma migalha, um verme ou um grão que sirva como alimento. D) Pessoal. E) Brinco, pulseira, colar e anel. F) Pessoal. 3. A) Galo. B) Galo. C) Pérola. D) Pérola. 4. A) Dois-pontos. B) Ponto-final. C) Reticências. D) Parêntesis. E) Vírgula. F) Exclamação. G) Travessão. H) Interrogação.

Págs. 66/67/68/69/70/71 — 1. A) Era o mais alegre indiozinho de sua tribo. B) Alimentava-se somente de frutas e todo dia saía pela floresta à procura delas, trazendo-as num cesto para distribuí-las entre seus

RESPOSTAS DAS ATIVIDADES

amigos. C) O demônio das trevas que vagava pela floresta. D) Tinha corpo de morcego, bico de coruja e também se alimentava de frutas. E) Ao encontrar o índio ao lado do cesto, não hesitou em atacá-lo. F) Encontraram-no morto ao lado do cesto vazio. G) O deus do bem. H) Ordenou que retirassem os olhos da criança e os plantassem sob uma grande árvore seca. Seus amigos deveriam regar o local com lágrimas, até que ali brotasse uma nova planta, da qual nasceria o fruto que conteria a essência de todos os outros. I) Deixava aqueles que dele comessem mais fortes e mais felizes. J) Possui sementes em forma de olhos, daí recebendo o nome de guaraná. **2.** Pessoal. **3.** Pessoal. **4.** A) Aguiry era o mais **feliz** indiozinho de sua tribo. B) Aguiry perdeu-se na mata, por **distanciar-se** demais da aldeia. C) Jarupari, o demônio das trevas, **andava** sem destino pela floresta. D) Ao encontrar o índio ao lado do cesto, não **teve dúvidas** em atacá-lo. E) Tupã, o deus do bem, **determinou** que retirassem os olhos da criança e os plantassem sob uma grande árvore seca. F) Seus amigos deveriam **molhar** o local com lágrimas. G) São palavras com o mesmo sentido. **5.** A) Aguiry era o mais **triste** indiozinho de sua tribo. B) Saía pela floresta à procura de frutas, trazendo-as num cesto para distribuí-las entre seus **inimigos**. C) Certo dia, Aguiry perdeu-se na mata por **aproximar-se** demais da aldeia. D) Acabou por **acordar** na floresta. E) Os índios, **despreocupados** com o menino, saíram à sua procura. F) Ordenou que colocassem os olhos da criança e os plantassem em uma árvore **molhada**. G) Aqueles que dele comessem seriam mais **fracos** e mais **infelizes**. H) São palavras com sentido contrário. **6.**

PALAVRA	SINÔNIMO	ANTÔNIMO
Negro	Escuro	Claro
Alegre	Feliz	Triste
Tranquilo	Calmo	Agitado
Infeliz	Triste	Feliz
Distante	Longe	Perto
Resolver	Solucionar	Dificultar
Enorme	Grande	Pequeno
Bonita	Linda	Feia
Amar	Gostar	Odiar
Desigual	Diferente	Igual
Calmo	Tranquilo	Nervoso
Fim	Término	Começo
Começo	Início	Fim
Pobre	Miserável	Rico
Ganhar	Receber	Perder
Divertido	Animado	Chato
Barulho	Algazarra	Silêncio
Quente	Aquecido	Frio
Sorrir	Rir	Chorar
Saboroso	Gostoso	Ruim

Págs. 72/73/74/75 — 1. A) a E) Pessoal. **2.** A) Frase exclamativa. B) Frase afirmativa. C) Frase negativa. D) Frase interrogativa. E) Frase imperativa. F) Frase exclamativa. G) Frase imperativa. **3.** A) a E) Pessoal. **4.** Pessoal. **5.** Pessoal.

Págs. 76/77/78/79 — 1. A) A águia e a raposa. B) Dois raposinhos muito pequenos. C) Implorou para que a águia deixasse seus filhotinhos. D) A águia, lá do alto, zombou das súplicas e disse que iria preparar a refeição em seu ninho. E) Começou a cercar aquela árvore com muitas palhas, gravetos e ramos secos e ateou fogo, fazendo uma fogueira muito grande. F) Temerosa com a fumaceira e de que as labaredas atingissem seu ninho, soltou os filhotes da raposa, que correram para a mãe, ficando a ave um pouco chamuscada. **2.** Pessoal. **3.** Águia, seguida, fogueira. **4.**

QU	GU
Mosquito	Guaraná
Quiabo	Régua
Esqueleto	Formigueiro
Máquina	Guitarra
Periquito	Fogueira
Queijo	Águia
Pequeno	Guilherme
Áquario	Água

5. O periquito come jiló e bebe água na sua gaiola. **6.** Leque, queijo, quadro, fogueira, aquário, guitarra, aquele, leque, coqueiro. **7.**

Á	G	U	A	X	X	G	U	A	R	A	N	Á
R	P	E	R	I	Q	U	I	T	O	A	F	G
O	O	S	Y	C	O	Q	U	E	I	R	O	U
Q	U	E	I	J	O	S	L	G	G	F	G	I
E	J	N	T	S	W	A	L	R	É	G	U	A
F	P	Q	U	I	A	B	O	A	S	J	E	T
T	P	O	R	Q	U	I	N	H	O	K	I	D
A	Q	U	Á	R	I	O	M	A	T	Y	R	A
R	M	K	R	T	S	U	B	R	N	A	A	R
O	G	U	I	T	A	R	R	A	I	R	O	M

Págs. 80/81/82/83/84 — 1.

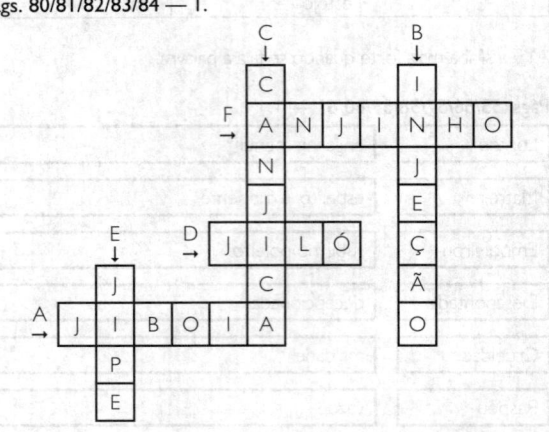

(cruzadinha) C↓ CC ; B↓ BI ; F→ ANJINHO ; NJ ; JE ; E↓ D→ JILÓ ; Ç ; J C Ã ; A→ JIBOIA ; O ; P ; E

RESPOSTAS DAS ATIVIDADES

2. Pessoal. 3. Frigideira, sujinho, canjica / legítimo, anjinho, fingimento / gigantesco, gilete, argiloso / beijinho, agilidade, lojinha / geladeira, jiboia, refugiado. 4. A) O girino pulou na lagoa. B) Mamãe fez farofa de jiló. C) O pajé é o chefe da tribo. D) Roberto fez a barba com gilete. E) A jiboia pertence ao grupo dos répteis. F) A gelatina pode ser de vários sabores. G) Compramos uma geladeira nova. 5. Pintar as seguintes palavras: geladeira, girafa, gigante, gente, gemido. 6. Pessoal.

Págs. 85/86/87/88/89/90 — 1. Pessoal. **2.**

Substantivos próprios	Substantivos comuns
Belém	chuva
Marajó	verão
Diamantina	bola
Urano	globo
Nilo	água
Pedro	abelha
Bahia	espada
Roraima	rua
Carlos	pessoa
Atlântico	bermuda
Mariana	sapato
Paraguai	amor

3.

SUBSTANTIVOS	COMUM	PRÓPRIO
Neymar		X
menina	X	
Diamantina		X
casa	X	
coelho	X	
Xuxa		X
Manu		X
escola	X	
Ceará		X
mesa	X	
Roraima		X
disco	X	

A) São palavras escritas com letra minúscula e que não se referem a nomes específicos. B) Substantivos que dão nomes aos seres. Iniciados sempre com letra maiúscula. **4.** Pessoal. **5.** Beto = próprio, casa = comum, Toyota = próprio, boneca = comum, Estados Unidos = próprio, Sabará = próprio, Júnior = próprio, gato = comum, Ana Maria = próprio. A) Pessoal.

Págs. 91/92/93/94/95 — 1.

R (início)	R (brando)	R (forte)	R (final)
Rio	Barata	Barraca	Doer
Rei	Buraco	Torre	Doar
Rádio	Ouro	Ferro	Amor
Rua	Arara	Carreta	Viver
Rato	Couro	Terra	Cair

A) Quando ele está entre duas vogais. B) Quando ele está no início da palavra, quando ele está no final da palavra e quando ele aparece duas vezes junto. 2. Terreiro, cadeira, pirraça, verdura, cachorro, corrida, peneira, barata, garrafa, urubu, serrote, morango, girafa, verruga, borracha, macarrão, mariposa. A a E) Pessoal. 3.

DESENHO	NOME	SÍLABAS	CLASSIFICAÇÃO QUANTO À SÍLABA TÔNICA
	Garrafa	Gar ra fa	Paroxítona
	Serrote	Ser ro te	Paroxítona
	Carroça	Car ro ça	Paroxítona
	Marreco	Mar re co	Paroxítona
	Burro	Bur ro	Paroxítona
	Gorro	Gor ro	Paroxítona
	Barraca	Bar ra ca	Paroxítona
	Barril	Bar ril	Oxítona
	Carretel	Car re tel	Oxítona

RESPOSTAS DAS ATIVIDADES

4.

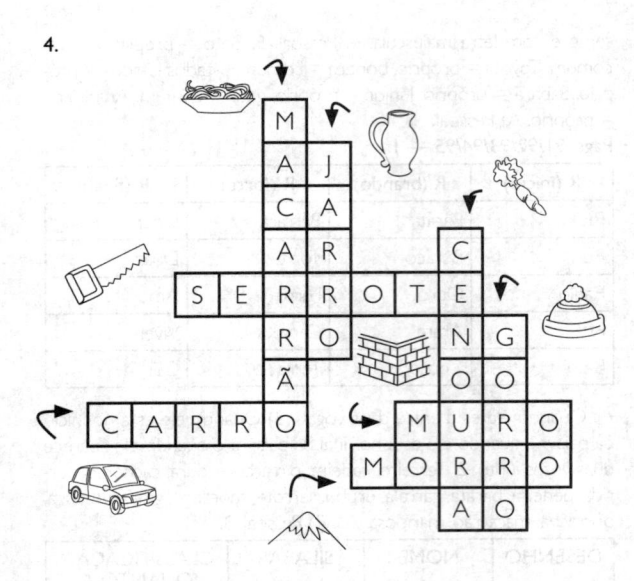

Cruzadinha 1: MACARRÃO, JARRO, SERROTE, CARRO, CENOURA, MURO, MORRO, ENGO... (palavras: macarrão, jarro, serrote, carro, cenoura, muro, morro)

Cruzadinha 2: BOLSA, VASSOURA, CACHORRO, VALSA, URSO, GIRASSOL

5. Morango, maracujá, pera, abóbora, laranja, cenoura, cereja, carambola.

Págs. 96/97/98/99/100/101 — 1. A) O rato e a rã. B) Desejava atravessar um rio; não atravessou porque não sabia nadar. C) Pediu ajuda para uma rã, que concordou desde que o rato fosse amarrado a uma das patas. D) A rã mergulhou, levando junto o rato, que sentia afogar-se. Debatia-se com a rã, que, por sua vez, lutava para nadar, causando cansaço e estardalhaços. E) O falcão que voava por cima deles. F) Não, o falcão baixou sobre eles e levou-os nas garras. Ainda no ar, os devorou. G) Pessoal. **2.** A) Um rato **ansiava** atravessar um rio, mas **tinha medo** por não saber nadar. B) O rato **concordou** e, encontrando um pedaço de fio, ligou uma de suas pernas à rã. C) O rato **contorcia-se** com a rã. D) Tudo isso causou **muita fadiga** e **barulheira**. E) O rato estava **preso** à rã. **3. Um** rato desejava atravessar **um** rio, mas o temia, pois não sabia nadar. Pediu ajuda a **uma** rã, que concordou desde que **o** rato fosse amarrado a **uma** das patas. **O** rato consentiu e, encontrando **um** pedaço de fio, ligou **uma** de suas pernas à rã. Assim que entraram no rio, porém, **a** rã mergulhou, levando junto **o** rato, que sentia afogar-se. Por isso debatia-se com **a** rã, que, por sua vez, lutava para nadar, tudo isso causando muito cansaço e estardalhaços. Estavam nessa luta quando, por cima, passava **um** falcão, que, percebendo **o** rato sobre **a** água, baixou sobre ele e levou-o nas garras juntamente com **a** rã que estava atada. Ainda no ar, os devorou. **4.** Pessoal. **5.** A) A, o, as, os. B) Um, uma, uns, umas. **6.** Artigo indefinido: um galo, um gato, um rato, uma boca, um carro, uma vaca, um sapo, um pato. Artigo definido: o sol, o boi, o pau, o rei, a pá, o pé, a pia, a flor.

Págs. 102/103/104/105/106/107 — 1. Pessoal. **2.**

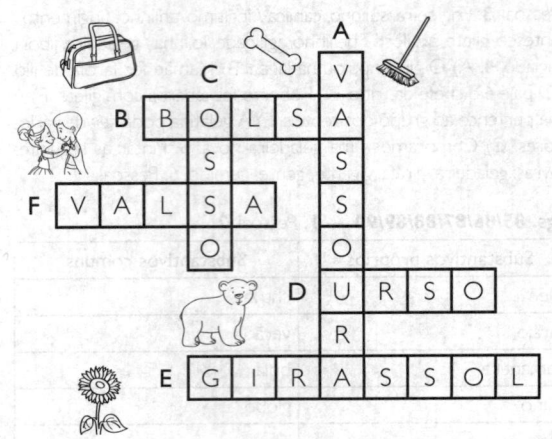

Caça-palavras com: CARROSSEL, ROSSO, DEZESSEIS, PÁSSARO, PÊSSEGO, GIRASSOL, VASSOURA

Carrossel = Car-ro-sel / osso = os-so / dezesseis = de-zes-se-is / pássaro = pás-sa-ro / pêssego = pês-se-go / girassol = gi-ras-sol / posse = pos-se / vassoura = vas-sou-ra. A) Pássaro e pêssego. B) Que os dois **ss** não podem ficar juntos na mesma sílaba. C) Carrossel e girassol. D) Osso, dezesseis, posse. **3.** Pessoal. A) Ossos: dois **ss**, por estar entre vogais. Rosas: Som de **z**. É único e está entre uma vogal e uma consoante. Sereia e sandália: um **s** só, porque está iniciando as palavras. **4.** A) A sereia toma sol todos os dias. B) O saci travesso brincou no carrossel. C) O pêssego está dentro da cesta. D) Cássia gosta de travesseiro macio. E) A bússola é do tempo dos dinossauros. **5.** Pássaro, bússola, carrossel, dinossauro, travesseiro, pêssego. **6.** A) a D) Pessoal.

3º ano — Língua Portuguesa

RESPOSTAS DAS ATIVIDADES

Págs. 108/109/110/111/112/113/114 — 1.

DESENHO	PALAVRA	SUBSTANTIVO COLETIVO
	Ovelha	Rebanho
	Jogadores	Time
	Flores	Ramalhete
	Navios	Esquadra
	Tijolos	Pilha
	Estrelas	Constelação
	Figurinhas	Álbum

2.

H	C	X	B	H	J	K	L	P	V
J	M	A	N	A	D	A	T	D	A
K	S	D	Y	P	L	K	R	T	R
L	V	B	G	H	J	K	L	M	A
R	C	D	X	V	B	M	L	P	K
Q	A	Q	W	R	V	B	T	N	Z
W	R	X	E	N	X	A	M	E	X
F	D	S	Q	W	K	L	Y	H	M
G	U	V	M	A	T	I	L	H	A
T	M	D	F	Q	W	Z	C	Y	H
S	E	W	R	T	Y	P	L	M	K

Vara, cardume, enxame, matilha, manada. **3.** A) A <u>tribo</u> vive em casas chamadas ocas. B) O <u>rebanho</u> está no pasto. C) O <u>batalhão</u> é o guardião da população. D) A <u>frota</u> transporta várias mercadorias. E) Chegou o <u>rebanho</u>. F) A <u>constelação</u> brilha no céu ao anoitecer. G) O <u>cacho</u> foi colhido do pé. H) O <u>cardume</u> fugiu da rede. I) A <u>classe</u> fez uma excursão ao zoológico. J) O <u>milharal</u> está no ponto de ser colhido. K) Com o <u>alfabeto</u>, formamos várias palavras. **4.** A) Mostrei minhas fotos para meus amigos. B) Os músicos tocaram no casamento da minha tia. C) Os atores apresentaram uma peça maravilhosa. D) As ovelhas foram tosquiadas. E) Em um período de cem anos, muitas coisas mudam na natureza. F) As árvores frutíferas estão repletas de frutas. G) Minha mãe teve 7 filhos. H) Os ladrões assaltaram uma joalheria. I) Os quadros estão em exposição. J) As plantas de uma região estão completamente floridas na primavera. K) Meu filho completou 10 anos. L) Os médicos analisaram os exames da paciente. **5.** A) Abelhas. B) Flores. C) Livros. D) Porcos. E) Alunos. F) Pessoas. G) Figurinhas. H) Plantas e animais. I) Estrelas. J) Lobos. K) Discos. **6.**

Nº	SUBSTANTIVOS	Nº	COLETIVOS
1	bois	17	alcateia
2	músicos	4	arquipélago
3	peixes	9	esquadra
4	ilhas	14	álbum
5	mapas	18	discoteca
6	árvores	19	biblioteca
7	alho	12	matilha
8	plantas	6	flora
9	navios	13	cordilheira
10	abelhas	8	bosque
11	lenhas	7	réstia
12	cães	2	orquestra
13	montanhas	5	atlas
14	fotografias	10	enxame
15	aviões	11	feixe
16	uvas	3	cardume
17	lobos	15	esquadrilha
18	discos	20	aglomeração
19	livros	1	boiada
20	pessoas	16	cacho

7. Pessoal.

Págs. 116/117/118/119/120/121/122/123/124 — 1. A) Porque elas sempre eram ajudadas pelos rafeiros. B) Cães de guarda. C) Sim, já estavam cansadas daquela guerra, entregaram os rafeiros ao lobo, que deixou como penhor seus filhotes. Elas, cansadas daquela guerra, aceitaram e as pazes foram feitas. D) Não cumpriram o combinado, porque, estando presos, os filhotes dos lobos começaram a uivar sem parar. Os lobos, ouvindo, correram para acudir os filhotes e afirmaram que a paz estava quebrada. E) As ovelhas tentaram se defender, mas, como os rafeiros que as protegiam foram entregues ao lobo, foram vencidas e devoradas. F) Não confiar no inimigo, pois, sendo ameaçado, ele não vai cumprir o combinado. G) Pessoal. **2.** Pessoal. **3.** O **lobo** e as **ovelhas**. Havia entre os **lobos** e as **ovelhas** uma guerra antiga. As **ovelhas**, ainda que fracas, ajudadas pelos **rafeiros** (**cães de guarda**), sempre levavam o melhor. Certa vez, os **lobos** pediram paz, oferecendo como penhor seus **filhotes**, desde que as **ovelhas** entregassem os rafeiros. As **ovelhas**, cansadas daquela

RESPOSTAS DAS ATIVIDADES

guerra, aceitaram e as **pazes** foram feitas. Aconteceu que, estando presos, os **filhotes** dos **lobos** começaram a uivar continuamente. Seus pais, ouvindo isso, correram a acudir afirmando que a paz estava quebrada e tornaram a fazer a **guerra**. As **ovelhas** bem que tentaram se defender, mas, como sua principal força consistia nos **cães de guarda**, que haviam entregado aos **lobos**, facilmente foram vencidas e devoradas. A) O lobo, as ovelhas, os rafeiros, os cães de guarda, os lobos, os filhotes, as pazes, os filhos, a guerra. **4.**

	MASCULINO		FEMININO
1	O professor	11	A amante
2	O jovem	20	A inteligente
3	O ator	8	A cliente
4	O irmão	3	A atriz
5	O duque	12	A sabichona
6	O francês	7	A órfã
7	O órfão	15	A chinesa
8	O cliente	1	A professora
9	O leão	10	A neta
10	O neto	6	A francesa
11	O amante	16	A peona/peoa
12	O sabichão	13	A plebeia
13	O plebeu	5	A duquesa
14	O colega	4	A irmã
15	O chinês	14	A colega
16	O peão	17	A doente
17	O doente	9	A leoa
18	O embaixador	18	A embaixatriz
19	O juiz	2	A jovem
20	O inteligente	19	A juíza

5. A) O papa = masculino. B) A lavadeira = feminino. C) O menino = masculino / A menina = feminino. D) O exame = masculino. E) O lápis = masculino. F) A xícara = feminino. G) O elefante = masculino / A girafa = feminino. H) O jardim = masculino. I) O genro = masculino / A nora = feminino. **6.** A) A menina estava procurando comida porque em casa não tinha mais nada para ela e sua mãe se alimentarem. B) Porque a menina estava em busca de alimentos para ela e sua mãe. C) A idosa deu uma panelinha e disse a menina que, quando estivesse com fome, falasse: "Cozinhe, panelinha", e, quando a fome passasse, falasse novamente: "Panelinha, pode parar!". D) Sim, a panela fazia a sopa sempre que a menina e sua mãe tinham fome. E) Porque a menina saiu de casa, sua mãe sentiu fome, pediu que a panela cozinhasse, porém não sabia como fazer para panela parar de fazer a sopa. F) A sopa só parou quando a menina voltou para casa e disse: "Panelinha, pode parar!". G) As pessoas tinham que abrir caminho comendo a sopa. H) Pessoal. **7.**

Palavra	Masculino
Mocinha	Mocinho
Menina	Menino
Filha	Filho

Palavra	Masculino
Mãe	Pai
Mulher	Homem

Págs. 125/126/127/128/129/130/131/132/133/134/135 — 1. Pessoal. **2.**

SINGULAR	PLURAL
Pires	Pires
Ônibus	Ônibus
Lápis	Lápis
Anel	Anéis
Fera	Feras
Anão	Anões
Ema	Emas
Tênis	Tênis
Rato	Ratos
Atlas	Atlas
Grilo	Grilos
Baleia	Baleias
Álbum	Álbuns
Mãe	Mães
Órfão	Órfãos
Campeão	Campeões
Cobra	Cobras
Discoteca	Discotecas
Jardim	Jardins
Avião	Aviões
Grão	Grãos

3. A) De ovelhas. B) Ele cuidava perto de um povoado. C) Ele gritava em desespero dizendo que o lobo estava atacando as ovelhas e, quando a população chegava, era mentira. D) Pessoal. E) A população não acreditou no pastor e ninguém foi socorrê-lo. O lobo atacou todas as ovelhas. F) Pessoal. **4.** A) Os meninos e os lobos. B) OS jovens pastores de ovelhas. C) Os moradores e os donos dos animais vinham correndo. D) Os jovens pastores gritaram apavorados. E) Os lobos estão matando o rebanho. F) Os pastores são mentirosos. G) Os pastores ficaram aflitos. H) Os meninos ficaram conhecidos como mentirosos. I) OS lobos devoraram as ovelhas. J) Os meninos ficaram apavorados com o ataque dos lobos. K) Os meninos aprenderam a lição. L) Os meninos não vão mentir mais. **5.** A) a D) Pessoal. **6.** Pessoal. **7.** Pessoal.

RESPOSTAS DAS ATIVIDADES

Págs. 136/137/138/139/140/141/142 — **1.** A) Um lobo espantosamente magro encontrou um cão gordo e bem nutrido. B) Quer dizer que ele era bem gordo e nutrido porque tinha um dono que cuidava dele. C) Não. O lobo preferiu ser livre a ter um dono. D) Às vezes, compensa passar dificuldade e ser livre a ter um dono. E) Pessoal. **2.** A) O meu **dono** me trata muito bem. B) Minha única **tarefa** é latir à noite. C) Um lobo **assustadoramente** magro. D) O cão era gordo e bem **saudável**. **3.** O <u>lobinho</u> e o <u>cãozinho</u>. Um <u>lobinho</u> espantosamente <u>magrinho</u> encontrou um <u>cãozinho</u> <u>gordinho</u> e bem nutrido. Não podendo atacá-lo, chegou-se a ele humildemente, e o <u>cãozinho</u> lhe disse que, se desejasse viver tão bem quanto ele, era só acompanhá-lo até sua <u>casinha</u>. Mas, quando o <u>lobinho</u> viu a marca que a <u>coleirinha</u> deixara no <u>pescocinho</u> do <u>cãozinho</u>, alegou que preferia passar fome a perder a liberdade. Fábulas de Esopo. **4.** O <u>lobão</u> e o <u>canzarrão</u>. Um <u>lobão</u> espantosamente <u>macérrimo</u> encontrou um <u>canzarrão</u> <u>gordão</u> e bem nutrido. Não podendo atacá-lo, chegou-se a ele humildemente, e o <u>canzarrão</u> lhe disse que, se desejasse viver tão bem quanto ele, era só acompanhá-lo até seu <u>casarão</u>. Mas, quando o <u>lobão</u> viu a marca que a coleira deixara no <u>pescoção</u> do <u>canzarrão</u>, alegou que preferia passar fome a perder a liberdade. Fábulas de Esopo. **5.** A) O macacão leva a molinha. A mulinha levava o malão. Mas o malão caiu e bateu na molinha. A mulinha deu uma patada na molinha. A molinha bateu no macacão. O macacão saiu pulando, pulando. E caiu no mato. B) Pessoal.

Págs. 143/144/145/146/147/148/149/150/151 — **1.**

NORMAL	DIMINUTIVO	AUMENTATIVO
Nariz	Narizinho	Narigão
Boca	Boquinha	Bocão
Sala	Salinha	Salão
Muro	Murinho	Muralha
Fogo	Foguinho	Fogaréu
Casa	Casinha	Casarão
Rapaz	Rapazinho	Rapagão
Chapéu	Chapeuzinho	Chapelão

A) Nariz, boca, muro, fogo, casa e rapaz. B) Pessoal. **2.** Pessoal. **3.**

```
C D M D R V T G H C T P
A R B U S T O B D H S V
S V B R B S C H X U B I
A S X H R V L V M V H L
X Y B T G C H N K A N A
B A R B A R W K P S N R
S C R U A P Y L K C R S
```
(CASA, BARBA, CRUA, ARBUSTO, CHUVA, VILAR)

4. A) Canzarrão. B) Bocarra. C) Chapelão. D) Fogaréu. E) Facão. F) Barcão. G) Narigão. H) Colherão. I) Casarão. J) Pratarraz. K) Copázio. **5.** Narigão, colherzinha, casarão, pratinho, copázio, cãozinho, bocarra, chapeuzinho, fogaréu, faquinha. **6.** Menina = menininha, menino = menininho, flor = florzinha, pipa = pipazinha ou pipinha, nuvem = nuvenzinha, boné = bonezinho, laço = lacinho. **7.** Menino = meninão, bola = bolão, sapato = sapatão, porta = portão, janela = janelão, camisa = camisão, meia = meião, cabelo = cabelão. **8.** Pessoal.

Págs. 152/153/154/155/156/157/158 — **1.** A) Porque achou que seu peso incomodava. B) a D) Pessoal. **2.** A) Ruído agudo. B) De verdade. C) Julgamento baseado em aparências. **3.** Pessoal. **4.** A) Pedreira, pedreiro, pedraria. B) Dentista, dentadura. C) Florista, floricultura. D) Leiteiro, leiteira. E) Livreto, livraria. F) Cabelão, cabelereiro. **5.** A) Pão. B) Jardim. C) Pipoca. D) Rio. E) Pobre. **6.**

SUBSTANTIVO PRIMITIVO	SUBSTANTIVO DERIVADO
Café	Cafezal
Relógios	Plantação
Flores	Relojoeiro
Pessoa	Ramalhete
Pastéis	Floricultura
Dente	Religioso
Leite	Pastelaria
Jornal	Dentista
Dia	Jornaleiro
	Diarista

7. Açougueiro, sorveteiro, pintor, pedreiro, padeiro. **8.** A) a D) Pessoal. **9.** A) Discoteca. B) Milharal. C) Açucarado. D) Ensopado. E) Indígena. F) Sapateiro. G) Peixaria. **10.**

Vidro	Vidrilho
Jornal	Jornalista
Papel	Papeleta
Rosa	Roseira
Boca	Abocanhar
Porta	Portaria
Mar	Maremoto
Coco	Coqueiral
Livro	Livreiro
Terra	Terremoto
Chave	Chaveiro
Jardim	Jardinagem

3º ano — Língua Portuguesa

RESPOSTAS DAS ATIVIDADES

Págs. 159/160/161/162/163/164 — 1. A) 3 parágrafos. B) O aluno deverá pintar as palavras: Uma / Todo / O. C) Uma reunião entre ratos. D) Os ratos reuniram-se para encontrar uma forma de manter o gato bem longe deles. E) Ele deu a ideia de pendurar uma sineta no pescoço do gato. F) Todos bateram palmas para o rato jovem pela ótima ideia. G) Porque ele queria saber quem seria o corajoso que colocaria a sineta no pescoço do gato. H) Que as grandes ideias nem sempre podem ser executadas. I) Pessoal. **2.** A) Os ratos viviam com um **grande medo** do gato. B) O gato não dava **tranquilidade** para os ratos. C) O mais **resolvido** de todos colocou um ponto-final. D) Aquela situação os **conservava** em permanente **inquietação**. E) Muitos foram os planos discutidos e deixados de lado por serem **ineficazes** ou de difícil **realização**. F) Os ratos já demonstravam certo **cansaço**. G) Um rato **novo** e com cara de **inteligente**. H) Toda vez que aproximasse, a sineta o **revelaria**. I) A sineta permitiria que ficassem **em alerta**. J) Bateram palmas **animados**. K) Os ratos **murmuraram tranquilos**. **3.** A) Ratinho, ratão. B) Pescoção, pescoçudo. C) Velhice, velharia. D) Planalto, planisfério. E) Temporal, tempestade. F) Sineta. G) Sino. H) Pessoal. **4.**

PALAVRA	SÍLABAS	CLASSIFICAÇÃO
Ratinho	Ra ti nho	Paroxítona
Ratão	Ra tão	Oxítona
Velhice	Ve lhi ce	Paroxítona
Planisfério	Pla nis fé rio	Paroxítona
Pescoção	Pes co ção	Oxítona
Parágrafos	Pa rá gra fos	Proparoxítona

5. A) Frase afirmativa. B) Frase negativa. C) Frase exclamativa. D) Frase interrogativa. E) Frase imperativa. **6.** A) As ratazanas fizeram uma reunião. B) A gata era uma ameaça para as ratazanas. C) A ratazana mais jovem era esperta. D) A ratazana mais velha era sábia. E) As ratazanas e as gatas não combinam. F) As gatas comem as ratazanas. **7.** Pessoal.

Págs. 165/166/167/168/169/170/171/172/173/174 — 1. A) A raposa e a cegonha. B) Pessoal. C) A cegonha serviu sopa para a raposa em um vaso comprido, no qual a raposa não conseguiu comer. A cegonha fez isso para dar uma lição na raposa. D) A raposa não pode comer nem reclamar e foi para casa com fome. E) Pessoal. F) Trate os outros da mesma forma que gostaria de ser tratado. G) Pessoal. **2.** A) Belo. B) Suculenta, gostosa. C) Rasos. D) Educada. E) Gentil. F) Comprido, fino. **3.** São palavras que caracterizam os substantivos. **4.** Pessoal. **5.** Pessoal. **6.** Meus primos gentis viajaram comigo. / O pedreiro distraído machucou o pé com um prego. / O presidente investigado foi eleito pelo voto direto. / Os pratos sujos estão na pia. **7.** Pessoal. **8.** Pessoal. **9.**

SUBSTANTIVO	ADJETIVO
Habilidade	Habilidoso
Charme	Charmoso
Orgulho	Orgulhoso
Preguiça	Preguiçoso
Medo	Medroso
Perigo	Perigoso
Fama	Famoso
Gula	Guloso
Amor	Amoroso
Vaidade	Vaidoso
Bondade	Bondoso
Carinho	Carinhoso
Capricho	Caprichoso
Teimosia	Teimoso
Coragem	Corajoso

10. A) E B) Pessoal. **11.** Amarelo: bando / manada / réstia; Verde: honesto / bondoso / corajoso; Vermelho: vela / porta / flor; Azul: pente / sapato / cabelo.

P	E	N	T	E	G	F	V	R	M	F	J	B	Q
D	H	O	N	E	S	T	O	D	H	D	H	O	Y
R	V	B	R	T	V	E	L	A	S	B	M	N	X
F	S	J	H	U	S	L	V	M	L	H	B	D	K
B	A	N	D	O	J	T	F	G	N	W	C	O	C
P	C	O	R	A	J	O	S	O	T	N	F	S	W
O	R	G	J	R	F	P	M	H	J	N	R	O	K
R	D	R	S	F	G	S	A	P	A	T	O	M	D
T	V	M	H	M	A	N	A	D	A	B	X	H	L
A	C	R	Z	W	C	A	B	E	L	O	P	E	W
N	X	H	U	F	L	O	R	M	R	R	Y	L	X
M	N	R	É	S	T	I	A	L	É	J	Z	E	V

ADJETIVOS	SUBSTANTIVOS FEMININOS	SUBSTANTIVOS MASCULINOS	SUBSTANTIVO COLETIVO
Honesto	Vela	Pente	Réstia
Corajoso	Flor	Sapato	Bando
Bondoso	Porta	Cabelo	Manada

Págs. 174/175/176/177/178/179/180/181/182 — 1. A) Substantivo abstrato. B) Substantivo abstrato. C) Substantivo concreto. D) Substantivo abstrato. E) Substantivo concreto. F) Substantivo abstrato. **2.** Alegria, tristeza, espanto, raiva. **3.** A) Bondade. B) Amizades. C) Tristeza. D) Alegria. E) Amor. F) Raiva. **4.**

RESPOSTAS DAS ATIVIDADES

ABSTRATOS	CONCRETOS
Fome	Comida
Força	Lápis
Amor	Carro
Atenção	Aluno
Beleza	Casa
Bondade	Caderno
Calor	Mesa
Calma	Anel

5. A) A **beleza** da menina é de encantar. B) Ele sempre foi de muita **tristeza**. C) **A riqueza e a pobreza**. D) A **mocidade** passou. E) A menina é uma **doçura**. **6.** A) a F) Pessoal. **7.**

D	R	I	Q	U	E	Z	A	C	M	J	J	X	N
A	H	V	M	V	L	J	N	V	L	A	Y	P	O
W	V	A	Z	P	C	A	R	I	N	H	O	F	B
T	S	J	C	M	V	L	V	D	C	U	A	V	R
S	T	R	I	S	T	E	Z	A	N	H	N	X	E
N	B	S	V	T	V	W	L	K	T	N	F	C	Z
O	K	F	R	I	O	L	T	A	D	O	R	N	A
G	D	B	L	X	L	U	Z	C	S	G	V	K	Q
K	V	P	A	C	I	Ê	N	C	I	A	A	L	V
M	A	L	D	A	D	E	T	Y	R	K	P	K	W
N	C	C	T	B	G	C	O	R	A	G	E	M	X
M	A	B	S	V	N	T	M	L	B	J	V	L	V

8. Pessoal.

Págs. 183/184/185/186/187/188/189 — 1.

ESTADO	SIGLA	ADJETIVO PÁTRIO
Rio de Janeiro	RJ	Fluminense
Mato Grosso do Sul	MS	Mato-grossense-do-sul
Goiás	GO	Goiano
São Paulo	SP	Paulista
Rio Grande do Sul	RS	Gaúcho
Mato Grosso	MT	Mato-grossense
Espírito Santo	ES	Capixaba
Santa Catarina	SC	Catarinense
Minas Gerais	MG	Mineiro
Paraná	PR	Paraense
Bahia	BA	Baiano
Sergipe	SE	Sergipano

Alagoas	AL	Alagoano
Pernambuco	PE	Pernambucano
Paraíba	PB	Paraibano
Rio grande do norte	RN	Potiguar
Piauí	PI	Piauiense
Maranhão	MA	Maranhense
Ceará	CE	Cearense
Rondônia	RO	Rondoniense
Tocantins	TO	Tocantinense
Amazonas	AM	Amazonense
Roraima	RR	Roraimense
Pará	PA	Paraense
Amapá	AP	Amapaense
Acre	AC	Acreano

2. A) Brasileiro. B) Paranaense. C) Fluminense. D) Paulista. E) Holandês. F) Belo-horizontino. G) Pernambucano. H) Japonês. I) Mineiro. J) Baiano. **3.** (4) brasileiro, (1) australiano, (10) cubano, (12) italiano, (9) chinês, (11) inglês, (7) alemão, (6) holandês, (2) espanhol, (13) japonês, (3) grego, (5) angolano, (8) sueco. **4.** A) Francês = França / Inglês = Inglaterra. B) Confundir a língua relacionada ao idioma com a língua da vaca, que é um prato típico. **5.** Pessoal.

Págs. 190/191/192/193/194/195/196 — 1. A) Refere-se a Marte. B) No ano de 2287. C) Há 60 mil anos. D) São 8 planetas. E) Planeta Terra. F) Mercúrio. G) Netuno. H) Vênus e Marte. **2.** A) Tão; quanto = comparativo de igualdade. B) Mais; que = comparativo de superioridade. C) Menor; que = comparativo de inferioridade. D) Mais; que = comparativo de superioridade. E) Menos; que = comparativo de inferioridade. F) Tão; quanto = comparativo de igualdade. **3.** Comparativo de igualdade = tão como, tão quanto. Comparativo de superioridade = Mais que, mais do que. Comparativo de inferioridade = Menos que, menos do que. **4.**

ADJETIVOS	COMPARATIVO DE SUPERIORIDADE SINTÉTICO
Bom	Melhor
Mau	Pior
Grande	Maior
Pequeno	Menor
Alto	Superior
Baixo	Inferior

3º ano – Língua Portuguesa

RESPOSTAS DAS ATIVIDADES

ADJETIVOS	COMPARATIVO ABSOLUTO SINTÉTICO
Bom	Ótimo
Mau	Péssimo
Grande	Máximo
Pequeno	Mínimo
Alto	Supremo
Baixo	Ínfimo

5. A) Superioridade. B) Igualdade. C) Inferioridade. D) Igualdade. E) Superioridade. F) Inferioridade. **6.** Marcos é **sensibilíssimo**. B) Fernando é **ótimo** em matemática. C) O salário é **mínimo**. D) O salgado é péssimo para a saúde. E) Pedro é **amicíssimo**.

```
C W Z A O R P T A E P P D R W
B Z V F E I Z S P É S S I M O
V Z W A H B W O L A C Q Z P R
S Q M Í N I M O Q G S X U X W
C Y V C Q L A P W K D L Q K Ó
V W S O O Í V Z I J L Q N Z T
V T W A T S A D F E S P V J I
A M I C Í S S I M O Y A J L M
T K M N B N K H R D Z Q X W O
G V A O H F Y V V A F E J U A
G A R R Y O X K D Z A T S R P
S E N S I B I L Í S S I M O N
P D I J H H F T J N L F H A L
G D Z L F O Y L P F B W E J B
M R V X T R S D Q K Q L K N L
```

Págs. 197/198/199/200/201 — 1. A) a C) Pessoal. **2.** A) O jogo estava dificílimo. B) O cantor é engraçadíssimo e humildíssimo (ou humílimo). C) A treinadora é magérrima e sensibilíssima. D) Papai é amabilíssimo e divertidíssimo. **3.** A) Muito terrível. B) Muito calmo. C) Muito fraco. D) Muito pouco. E) Muito belo. F) Muito ágil. **4.** Pessoal. **5.**

O leão e o ratinho

Um leão, **cansadíssimo** de tanto caçar, dormia **espichadíssimo** debaixo da sombra de uma **boníssima** árvore. Uns ratinhos que passavam por cima dele o acordaram. Todos fugiram, menos um, que o leão prendeu debaixo da **grandíssima** pata. O ratinho implorou tanto para que o leão não o esmagasse que o **boníssimo** leão deixou que ele fosse embora.

Tempo depois, o leão ficou preso na **fortíssima** rede de uns caçadores. Fazia a **belíssima** floresta tremer com seus urros de raiva. Nisso apareceu o **fidelíssimo** ratinho, e, com seus dentes **afiadíssimos**, roeu as cordas e soltou o leão.

Fábulas de Esopo.

6. Pessoal.

Págs. 202/203/204/205/206/207/208/209 — 1.
(1) Rumo
(2) Absurdo
(3) Lombo
(4) Comentário
(5) Marmanjo
(6) Apeou
(7) Lacaio
(4) Apreciação de um fato ou de uma situação, série de observações com que se esclarece.
(6) Desceu montaria.
(7) Criado que acompanhava o amo em passeio ou jornada.
(2) Contrário de bom senso.
(1) Caminho, direção.
(5) Homem adulto.
(3) Parte carnosa ao lado da espinha dorsal nos animais.

2. A) O velho, o menino e o burro. B) O burro. C) Viajante, pescador, amolador de facas, meninos e mulheres. D) Manoel. E) O amolador de facas. **3.** A) Manoel. B) O pescador. C) Os meninos. D) O viajante. E) As mulheres. **4.** A) a D) Pessoal. **5.** A) Ela voa muito. B) Eles são ferozes. C) Ela é muito inteligente. D) Eles são da mesma sala. **6.** A) Bola. B) Papagaio. C) Gola. D) Égua. E) Lagoa. F) Gaiola. G) Pegadas. H) Gamela. **7.** A) Com a bola, as crianças jogam futebol. B) O papagaio pertence ao grupo das aves. C) A gola faz parte da camisa e é onde encaixa a gravata. D) A égua é um animal mamífero. E) A lagoa tem muitos peixes. F) A gaiola aprisiona o pássaro. G) As pegadas ficaram marcadas na areia. H) A gamela serve para fritar bife. **8.**

Ele e ela

Ele brigou com ela
Debaixo de uma sacada
Ele saiu ferido
E ela, despedaçada!

Ele ficou doente,
Ela foi visitá-lo.
Ele teve um desmaio.
Ela pôs-se a chorar.

Ela tratou do cravo
Com muita dedicação.
Ele a abraçou,
Agradecido de coração!

Págs. 210/211/212/213/214/215/216 — 1. A) De um futuro melhor para a sua filha. B) Foi para Curitiba e levou um ano. C) Ele era mecânico. D) Conversando com colegas da empresa onde trabalha. E) Têm aulas de inglês, informática básica, gramática, artes e esportes. F) Ela era tímida, agora aprendeu a ler, interage muito bem com seus colegas e opina sobre diversos assuntos. G) Como em uma nova família para a sua filha. H) Dança e artes cênicas. I) Pessoal. **2.** A) Seu. B) Suas. **3.** A) Ele levou um ano até criar as condições necessárias. B) Ela diz que suas aulas favoritas são dança e artes cênicas. **4.** A) Substantivo derivado, comum. B) Substantivo primitivo, comum. C) Substantivo próprio. **5.** Pessoal. **6.** Pessoal. **7.** A) Meu. B) Seu. C) Nosso. D) Teu. E) Deles. F) Vosso. G) Teu. **8.** A) Nossas, nossas. B) Seus. C) Meus, minhas, meu. D) Meu, seu. E) Nossa. F) Teus.

9.